Dánta
Fhilí Bhaile na mBroghach

Seosamh Ó Donnchadha

Peadar Mac an Iomaire
a bhailigh

Cló Chois Fharraige
Indreabhán
Co. na Gaillimhe

An Chéad Chló 1983

Arna phriontáil ag Clódóirí Lurgan Tta.,
Indreabhán, Co. na Gaillimhe

CLÁR

RÉAMHRÁ

'Fágtar ag an bhFilí é,' nó 'sin é an chaoi ar chuir an Filí é,' a chloisfeá go minic ó mhuintir na háite seo againne agus iad i ngeoin chomhrá le chéile ag geata an tséipéil, ag crosbhóthar, ar foscadh ar an bportach ón mbáisteach, ag líonadh leoraí móna, nó ag déanamh uaighe i reilig an Chnoic. Taispeánann an méid sin an meas atá ar Sheosamh Ó Donnchadha (Joe Shéamais Sheáin) mar fhile, agus an mhuinín atá ag a phobal féin as lena gcuid smaointe a chur i bhfocail. Ba mhór an chomaoin ar bhainis nó ar chéilí tí an Filí a bheith i láthair le cúpla ceann dá chuid dánta a rá. Nuair a tháinig téipthaifeadáin sa saol, tosaíodh ag taifeadadh teachtaireachtaí, amhrán, ceoil, agus eile, le cur go Meiriceá. Bhíodh práinn faoi leith as téip a mbíodh glór an Fhilí ag rá a dhánta féin le cloisteáil uirthi. Is é an t-údar atá leis sin go bhfuil úsáid shóisialta i bhfilíocht Joe Shéamais Sheáin do phobal Chois Fharraige. Is don phobal sin a cumadh í, agus tá an pobal mar phátrún ag an bhFilí le haitheantas a thabhairt dó as a bhfuil cumtha aige agus lena ghríosadh le tuilleadh dánta a dhéanamh.

I mBaile na mBroghach, i gCois Fharraige, Contae na Gaillimhe, a rugadh an Filí sa mbliain 1908. B'as an mbaile sin a athair, Séamas Sheáin, agus b'as an mbaile ó dheas de, Baile na hAbhann, a mháthair, Nóra Ní Chualáin. Tá Baile na mBroghach ar an teorainn idir an sliabh agus na garranta agus is minic le muintir an bhaile sin a bheith cleachtach ar shaol an chladaigh agus ar shaol an tsléibhe in éineacht. Bhí an saol crua go maith an t-am a raibh an Filí ag éirí suas, cé go raibh cáil ar mhuintir Bhaile na mBroghach a bheith níos deisiúla ná muintir bhailte eile de bharr fairsinge sléibhe a bheith acu le stoc a thógáil air. Dhá mhíle bealaigh a bhí ar an bhFilí siúl chuig an scoil. Deir sé féin nach é go leor Gaeilge a bhí á múineadh sa scoil an uair sin agus gur trí Bhéarla a dhéantaí an mhúinteoireacht ach go gcaithfeadh an máistir roinnt Gaeilge a úsáid le go dtuigfí é. Ní mórán foinn a bhíodh ar ghasúir dul ar scoil agus ba mhinic leo píosaí fada den bhliain a chaitheamh ag maidhtseáil. Is cuimhneach leis an bhFilí carranna na nDúchrónach a fheiceáil ag dul thart agus an máistir ag rá leis na gasúir gan a bheith ag breathnú amach trí na fuinneoga orthu. B'in iad na chéad charranna a chonaic sé riamh. Capall a bhíodh ag tarraingt charr an phoist an uair sin agus bhí na bóithre an-dona. Sa scoil a d'fhoghlaim an Filí scríobh agus léamh Gaeilge agus Béarla. Ba phaiteanta ag scríobh agus ag léamh Gaeilge ná Béarla é. Nuair a d'fhág sé an scoil, deir sé féin nach raibh mórán cúise leis le Béarla, ach go raibh sé an-éasca aige leabhair Bhéarla a thuiscint. Ar na leabhair Ghaeilge a bhí ann an t-am sin bhí *Stair na hÉireann* le Mícheál Breathnach, agus caithfidh sé go raibh suim faoi leith ag an bhFilí sa mBreathnach de bharr go mba iarscoláire de chuid na scoile an Breathnach agus go raibh an-cháil air le foghlaim sa bparóiste agus ar fud shaol na Gaeilge faoin am sin. Ina theannta sin, bhí gaol ag an bhFilí leis.

Gaeilge amháin a bhí le cloisteáil ag an bhFilí sa mbaile. Chaitheadh na gasúir na tráthnónta ag cúnamh le sibiléaracht timpeall an tí, nó ag obair sa ngarraí nó ar an bportach. Ón am a raibh an Filí ina stócach, théadh sé ar cuairt i dtithe an bhaile nó ag imirt cártaí i gcaitheamh an airneáin. Tá sé ráite aige féin nár chuala sé aon scéal fiannaíochta á inseacht i dtithe cuarta, ach murar chuala is cinnte gur chuala sé faoi thamhnacha sléibhe, faoi fhir mhóra ar nós Scorach Ghlionáin, faoi ghníomhartha gaisce a rinne na seandaoine, agus cár fhág mé scéalta faoi thaibhsí, faoi shliabh gortach, faoi fhóidín mearaí, faoin dul amú, agus faoi phisreoga. Le scéal fada a dhéanamh gearr, ba iad na tithe cuarta, na tithe tórraimh, cruinnithe ag crosbhóithre agus ag geata an tséipéil, a mhúin béaloideas Chois Fharraige don Fhilí agus do na céadta leis. Bhí sé de cháil riamh ar mhuintir Bhaile na mBroghach a bheith an-tráthúil ag caint. Cé nach ndeachaigh an Filí le tráthúltacht ina chuid filíochta, chuidigh an tráthúlacht leis lena intinn a aibiú, agus leis an bhfocal ceart a chur san áit cheart.

Bhí an saol go dona sa taobh seo tíre tar éis an chéad chogaidh mhóir agus bhí obair fíorghann. Bhí anró ag baint le hobair an chladaigh agus le hearrach, le fómhar, agus le móin, agus gan mórán dá bharr ina dhiaidh sin. Théadh spailpíní ar an Achréidh ag baint agus ag piocadh na bhfataí gach uile fhómhair. Thug an Filí aghaidh ar an Achréidh agus é timpeall scór bliain d'aois.

Deir sé féin go raibh an Ghaeilge láidir ar Achréidh na Gaillimhe an uair sin. Thoir ansiúd a bhí sé oíche na Stoirme Móire i 1927; an oíche ar bádh naonúr ógfhear as an gCladach Dubh. Ba í an tubaiste ar an gCladach Dubh a thaispeáin don saol go raibh file i mBaile na mBroghach mar ba é an dán úd an chéad dán poiblí a rinne Joe Shéamais Sheáin agus gan é ach scór bliain d'aois. Chaith sé an chéad deich mbliana eile ag obair sa mbaile, ag fáil corrphíosa oibre ar na bóithre, agus ag dul ar an Achréidh corrfhómhar. Cé go raibh aird aige i gcónaí ar obair láimhe, bhí a sheacht n-oiread suime aige i leabhair. Bhíodh sé ag léamh leabhar ar stair, ar litríocht, agus ar an nádúr. Bhí sé de chaitheamh aimsire aige, freisin, a bheith ag iascach ar an abhainn agus ar na locha a bhí suas óna theach féin. Thug seo, agus na píosaí a chaith sé ag fiach sna garranta agus ar an sliabh, deis dó a bheith ag cuimhneamh ar féin agus ag ceapadh filíochta. Deich mbliana fichead a bhí an Filí nuair a chuaigh sé go Sasana i 1938. Bhí contúirt cogaidh ann agus tháinig sé abhaile arís, ach nuair nach raibh an cogadh ag tosú, bhuail sé anonn arís i 1939, agus ní raibh sé i bhfad thall gur thosaigh an cogadh. Ba i Sasana a chaith sé na chéad trí bliana den chogadh. Théadh sé anonn agus anall idir sin agus deireadh na gcaogaidí, tráth ar fhan sé sa mbaile ar fad.

Is beag paróiste i gConamara nach bhfuil ar a laghad cúpla duine ann a chumann amhráin, dánta, nó agallaimh bheirte, agus aird na ndaoine tarraingthe orthu dá bharr. Chomh fada le mo bharúil, níor oibrigh ceachtar acu sin an oiread tionchair ar an bpobal agus a d'oibrigh Filí Bhaile na mBroghach. Is é mo bharúil go bhfuil an áit chéanna tugtha d'Fhilí Bhaile na mBroghach ag a chomharsana a d'éirigh suas lena linn agus a tugadh d'fhilí eile Gaeilge ó aimsir Chath Chionn Sáile. Tá daoine ann a chreideann go bhfuil fios ag an bhFilí de bharr cuid de na rudaí atá luaite aige ina chuid dánta. Ceapann tuilleadh go bhfuil cumhacht osnádúrtha éigin aige de bharr an chaoi a bhfuil sé in ann an chaint atá sna dánta a chur i ndiaidh chéile. Duine ar bith dá léithéid, bheadh ómós dó agus tá ómós don Fhilí agus, freisin, cé go bhféachfaí ar Joe mar chomharsa an mhaith — mar dhuine oibleagáideach — ach mar fhile, bheadh an scéin chéanna roimhe agus a bheadh roimh shagart paróiste nó roimh bhean feasa.

Deich gcinn fhichead de phíosaí filíochta atá sa gcnuasach seo. Tá beagán acu foilsithe cheana in *Ar Aghaidh*, in *Leic an Teaghlaigh*, in

Tús an Phota, in *Scéala Éireann*, agus in *Biseach*. Cé gur cuireadh ar pháipéar aon cheann déag díobh, is iad na cinn nár foilsíodh go dtí seo na cinn is mó a fuair éisteacht ar bhainseacha, ag céilíocha, agus ag imeachtaí sóisialta eile. Cosúil le go leor d'fhilí na Gaeilge, níor scríobh Seosamh Ó Donnchadha aon cheann dá chuid dánta riamh. Deir sé féin nach feasach dó gur fhoghlaim mórán a chuid dánta, ach is minic a chloistear sleachta astu á n-aithris le haghaidh argóintí a chruthú nó a bhréagnú nó lena chumas mar fhile a léiriú.

Ceapaim féin gur chum an Filí trí cinn ar a laghad de na dánta atá sa gcnuasach seo mar gur cheap sé dualgas a bheith air sin a dhéanamh. Ba mhór a ghoill an bá sa gCladach Dubh ar phobal Chonamara i 1927. Ina bhealach féin, caithfidh sé go raibh sé gach uile orlach chomh dona agus a bhí an mí-ádh a bhuail muintir Eanach Dhúin in 1828. Thóg an Filí ar féin smaointe an phobail a chur i véarsaí le nach ndéanfaí dearmad go héasca ar an mí-ádh seo. Nuair a thárla tubaiste eile dá leithéid sa gceantar céanna i 1978, iarradh ar an bhFilí an dán seo a rá arís ar Raidió na Gaeltachta. Dánta caointe an péire eile freisin a dtuigtear domsa gur dánta dualgais iad: an dán ar an Athair Mícheál Ó Gríofa a mharaigh na Dúchrónaigh i 1920, agus an dán ar Mhícheál Breatnach a fuair bás le heitinn sa mbliain 1908. Sa dá dhán seo léiríonn an Filí a thuiscint ar an nádúr agus ar an dúlra. Seo dhá véarsa as an dán 'An tAthair Mícheál Ó Gríofa':

Nach ins an ngleann fealltach seo a rinneadh an mí-ádh.
  Is beidh caint ar an ngníomh sin in Éirinn go deo.
Is ann a maraíodh an sagart, an tAthair Mícheál Ó Gríofa,
  Ar uair an mheán oíche, naoi gcéad déag agus scór.

A Dhia is a Chríosta, nach ba fuar fliuch an oíche í,
  Sinneán crua gaoithe ag ropadh roimhe ar an mbóthar,
Fuaim uaigneach na cíbe a chuirfeadh uamhain ar do chroí,
  'Gus néalta trom geimhridh os cionn Pholl na Cló.

Tá cur síos an-chruinn ar na Dúchrónaigh aige. Cuimhnigh go dtugadh sé féin faoi deara iad ag dul thart nuair a bhí sé ag dul ar scoil.

Mar scaipeas na faolchoin trí státaí na Báltach,
  Nuair a ruaigeas an cál iad ag soláthar a lóin,
B'amhlaidh Dúchrónaigh in Éirinn an tráth sin,
  Ag creachadh gach áras, ag loscadh is ag dó.

Tá cuid mhaith den stíl chéanna sa dán 'An tAthair Mícheál Ó Gríofa' agus atá sa dán 'Mícheál Breathnach'. Labhraíonn an Filí leis an marbhán sa dá chás agus creideamh aige sa gcéad saol eile. Deir sé faoin mBreathnach sa véarsa deiridh:

Is nuair nach bhfuil gair a'inn é a fheiceál sa mbóithrín
  Ag teacht don tráthnóna nó le éirí an lae,
Ó, cuirfimid beannacht le anam an leonlaoich,
  Is go bhfeicfear arís é ar dheasláimh Mhic Dé.

Ba mhaith uaidh fuaimeanna an chladaigh agus na spéire a chur i bhfocail sa dán céanna.

Tá tonntra na mara ag bualadh is ag clascairt
  I bhfoisceacht chúig acra de do leaba, a dhea-Ghaeil,
Ach céad faraor chrua dheacrach, eisean nach n-airíonn
  Fuaim torann na gcladaí ná tóirneach ón spéir. . .

Ní airíonn tú torann na srutháinte ag gluaiseacht
  Le fána na gcnoc i do thír dhúchais féin;
Ní airínn tú crónán na gaoithe ag séideadh;
  Ní airíonn tú géimneach na mbó ar an bhféar.

Is marbhnaí na dánta seo a bhfuil cosúlachtaí acu leis na dánta a scríobhadh filí faoina bpátrúin sa tseanaimsir, ach, mar a dúirt mé cheana, ba é pobal Chois Fharraige pátrún Fhilí Bhaile na mBroghach. Chuir an Filí véarsaí os ár gcomhair nach raibh focail ar sliobarna astu. Rinne sé cur síos ghrinn ar thréithe daoine, agus thug sin sólás dá lucht éisteachta.

Is álainn na dánta 'Abhainn an Chnoic,' 'Maidin Bhealtaine', agus 'Sléibhte Chonamara'. Thaispeáin an Filí a chuid eolais ar an dúlra agus a shuim in éanacha agus in áiteanna sna trí dhán seo. Thaispeáin sé freisin cé chomh grinn agus atá sé. Caithfidh sé gur iomaí duine as Conamara i gcathracha Shasana nó Mheiriceá ar bhreá leo a bheith in ann na smaointe seo thíos a chur i bhfocail:

Tá nósa na cathrach, a béasa is a bealach,
  Ag ithe is ag gearradh mo chroí istigh i mo lár,
Is an ceiliúr a chleacht mé go siamsúil ag baile,
  Ní chloisfidh mé feasta é, mo chreach is mo chrá!

Tá ar a laghad cúig cinn de dhánta cráifeacha cumtha ag an bhFilí: 'A Ógánaigh Mheidhreach', 'An Bás', 'An Breithiúnas', 'Aiséirí an Pheacaigh', agus 'An Bheoichte'. Mhair sé i rith dhá chogadh mhóra, chogadh na saoirse, an chogaidh chathartha, fliú mór 1918, agus i rith thréimhse na heitinne. Chuir na cogaíocha agus an Gorta Mór scéin sna daoine agus tá smaointe na Críostaíochta faoin mbás curtha aige os ár gcomhair. Tá smaointe agus dearcadh an phobail faoin mbás curtha aige i liodán focal agus, freisin, tá fíochmhaireacht an bháis, agus an bás mar áis cothromaíochta ar aicmí uile an phobail, léirithe go han-mhaith aige. Sa dán ar an mbás deir sé:

Nach muid atá teann ar an saol seo féin
'S gan ionainn, mo léan, ach mar a bheadh ceo.
Ar ghluaiseacht don anam, gan filleadh le scéal,
Tiocfaidh fuacht ar an gcorp nach dtéifear go deo.

'S athróidh an snua is an lasadh ina n-éadan
'S dúnfar a súile ar theacht don bhás.
Stopfaidh a gcuid cuisleacha gan bheith ag léimneach;
Stadfaidh a gcuid gruaige gan a bheith ag fás.

Dá mhéid suime a chuir daoine sa dán sin 'An Bás', is mó i bhfad a cuireadh sa dán 'Lá an Bhreithiúnais'. Bíonn faitíos ar dhaoine roimh an mbás, ach bíonn i bhfad níos mó faitís orthu roimh an mBreithiúnas. Thóig an Filí de dhualgas air féin na smaointe a bhí ag snámh in intinn an phobail agus na sagart a chur i bhfilíocht, agus d'fhéadfaí a rá faoin dán seo gur mó cluais a tugadh dó ná d'aon seanmóir a tugadh i séipéal an Chnoic ón am ar cumadh é.

Tá bua ag an bhFilí samhlacha soiléire a chur i láthair an lucht éisteachta. Chuirfeadh seo dearcadh André Malraux i gcuimhne do dhuine, is é sin go bhfuil an ealaín ag tógáil áit an chreidimh in intinn daoine. Cheapfainn féin gurb é mian an Fhilí go gcuimhneofaí ar 'Lá an Bhreithiúnais' mar dhán a raibh teagasc na heaglaise agus dearcadh ginearálta an phobail fite fuaite ann mar phíosa filíochta.

Is tiocfaidh Mac Muire lá an chuntais,
Le breithiúnas a thabhairt ar an saol,
Is lasfaidh an fharraige bhrónach,
Is silfidh gach dlúthcharraig deoir.

Ina chuntas ar na daoine a bheas os comhair Dé Lá an Bhreithiúnais deir sé:

Págánaigh, polaiteoirí, is Críostaithe;
  Daoine a fuair bás leis an ól;
Daoine nár chomhlíon na haitheanta;
  Is treibhe nár baisteadh go fóill.

Beidh an chumhacht uilig caillte ag na huaisle ann,
  'S ní gheobhaidh siad í go héag;
Beidh an fear bocht chomh neamhspleách le rí ann —
  Sin briathar atá ráite gan bhréag.

Is iomaí caint sa mbéaloideas ar an mbás agus ar dhaoine a bheith ag teacht ar ais le cúiteamh a dhéanamh ina gcuid peacaí, ag iarraidh pardúin ar dhaoine atá fós beo. Sin é an t-ábhar atá curtha i bhfilíocht ag an bhFilí san agallamh 'Aiséirí an Pheacaigh'. Tá triúr ag caint sa dán seo: an File féin, an Marbhán, agus an Glór ag geataí na bhFlaitheas. Is dán é seo a d'fhéadfaí a chur i gcomparáid le *Cré na Cille*. I gcás *Chré na Cille*, d'fhan na coirp faoin talamh, ach sa dán seo, dhírigh an marbhán aniar agus é os cionn cláir le rá le daoine eile aithrí a dhéanamh. Deir an File:

Fógraím dea-chomharsanacht ar na mairbh
  Agus orthu seo atá beo atá ar bhóthar na bpeaca;
A Rí na Glóire, a cheap neamh agus talamh,
  Tabhair dídean dóibh siúd atá ar siochrán fada.

Tugann an Marbhán cuntas fada ar a thuras go dtí geataí na bhFlaitheas agus ar an bhfaitíos a bhí air ag dul ann faoi ualach na bpeacaí:

Nach mba mise an deoraí ar an mórmhuir gharbh,
  'S an bhreith le tabhairt orm nuair a bhuailfinn caladh.
Mar chaith mé an fómhar agus mo shaol ar thalamh,
  Is amhlaidh a chóireos Mac Dé mo leaba. . .

I ndeireadh na cúise, is mé múchta marbh
  Ag pianta móra nár chóir dom a aithris,
Las solas glórmhar os mo chomhair i m'aice,
  Agus labhair an glór, go deas ciúin i m'ainm.

Níl ar siúl ag an bhFilí sa dán seo ach aithris ealaíonta ar na scéalta faoin mbás, faoin mbreithiúnas, faoi thaibhsí, agus faoi dhaoine a thagadh ar ais ag iarraidh maiteanais nó ag déanamh cúitimh in obair a bhí déanta as bealach acu.

Le linn óige Joe i gCois Fharraige, bhí an bás agus an breithiúnas ina scéal mór ag misiún as Ord an tSlánaitheora a bhíodh ag freastal ar pharóistí i gConamara. Thart ar an am a raibh an Filí i mbarr a réime a bhíodh an tAthair Ó Conghaile, nó Misiún Árann, ag dul thart ag seanmóireacht i gConamara. Bhí an-tionchar ag a chuid seanmóireachta ar an bpobal. Bhí sin amhlaidh mar go mba togha cainteora é agus gur thuig sé bealach agus tuiscint na ndaoine thar cionn. Bhain sé úsáid as an gcreideamh a bhí ag na daoine (a) go raibh cumhacht ag na sagairt, go háirithe ag na misinéirí; (b) go bhféadfadh an té nach bhfaigheadh bás ar stáid na ngrást a bheith ar seachrán; (c) gur obair an diabhail é an poitín. Mhaireadh cur síos ar Mhisiún Árann ó mhisiún go misiún, agus dhúisigh a chuid seanmóireachta téamaí cainte faoi thaibhsí agus faoi thaispeána nach raibh fadaithe le blianta.

In 'Aiséirí an Pheacaigh', tá an Filí tar éis a chuid cainte féin, caint an Mharbháin, agus caint an Ghlóir seo a chumadh le bheith ina scáthán ar smaointe a bhí ag snámh in intinn an phobail sna ceathrachaidí agus sna caogaidí. Tá sé ráite gur fuineadh agus gur fáisceadh an Cadhnach as an mbéaloideas. Ní raibh ach ceithre bliana ag Máirtín Ó Cadhain ar Fhilí Bhaile na mBroghach agus rugadh agus tógadh iad i bhfoisceacht dhá mhíle go leith dá chéile. Ceann de na scéalta a chreid daoine le linn óige Joe agus Mháirtín, agus a chreideann roinnt mhaith daoine i gCois Fharraige fós, go mbíodh soilse le feiceáil ar an bhfarraige siar ó Árainn Oíche Chinn an Dá Lá Dhéag agus go raibh go leor acu ann. Bhí caint mhór go raibh oileán draíochta idir muid féin agus Árainn, fiú amháin. Tá go leor i gCois Fharraige fós a chreideann go mbíodh siad féin ag feiceáil soilse ann, ach deir cuid acu anois go mb'fhéidir go mba báid iascaigh a bhíodh ann ach go raibh daoine ag ceapadh an uair sin go mba soilse draíochta iad. Bhíodh na soilse le feiceáil ó thús na hoíche go mbíodh sé suas leis an trí a chlog ar maidin. Chonaic an Filí é féin iad agus deir sé go mbíodh gach uile dhuine a bhreathnaíodh amach á bhfeiceáil an uair sin. Bhíodh caint mhór ar an oileáin seo agus an Filí ina ghasúr. Bhíodh na seandaoine, nuair a thagadh siad le chéile, ag fiafraí meastú céard é féin. B'fhada leo go dtagadh Oíche Chinn an uair sin nó go dtiocfaidís ag breathnú ar na soilse sin. Dúirt an Filí féin liom go mbíodh rud cosúil leis sin ag na Gréigigh sa tseanaimsir agus go mbídís ag feiceáil soilse ar an bhfarraige. Nuair a d'fheicidís iad thugaidís talamh isteach orthu féin mar go mba chomhartha é go mbeadh sé ina stoirm láidir ann lá arna mháireach. Nuair a chuir an Filí roimhe an tOileán Draíochta a chur i bhfilíocht, ní raibh sé sásta cur síos lom a dhéanamh ar an scéal a chuala sé faoi ná faoin méid a chonaic sé féin. Mar a dúirt mé cheana, ní cuimhneach leis a bheith ag cloisteáil scéalta fiannaíochta ná rúraíochta ó dhaoine as a bhaile féin ach léigh sé i leabhair iad agus bhí a fhios aige gur bhain siad le saol na Gaeilge, saol a mhuintire féin, agus chuir sé eolas astu ina dhán 'An tOileán Draíochta':

Oíche Chinn an Dá Lá Dhéag,
Thar ar cruthaíodh d'oícheanta faoin spéir,
Sea nochtaítear oileán gléigeal
  Go hard i lár an chuain.
Píosa aniar ó Árainn
Sea fheictear é an tráth sin,
Is leathuair roimh an lá
  Sea íslíonn sé fán tonn. . .

Arb iúd é tír na hóige
A bhí faoi theas an tsamhraidh i gcónaí,
Is ar fhan Oisín ann go bródúil
  I bhfad i ndiaidh na bhFiann?
Nó arbh amhlaidh a ghlac dubhrón
A chéile, Niamh Chinn Óir, ann
Is go bhfuil sí ag teacht ar chóstaí
  Le uaigneas ina dhiaidh?. . .

Nó arb iúd é an t-oileán Maí Meall
Ar fuadaíodh Connla Tréan ann
Is nár fhill ar ais go hÉirinn
  Arís go deo ina dhiaidh,
Is nár chaith sluaite Teamhrach téarma
Dhá thóraíocht ins na réigiúin,
Is nár fhill i dteannta a chéile
  An lá a bhí deireadh leis an bhfiach?

Seo sampla eile d'Fhilí Bhaile na mBroghach ag tógáil ar an eolas atá ag na daoine agus ag fáil tuilleadh eolais ó fhoinsí eile le cur ina chuid dánta, agus ar an mbealach sin tá an Filí ag gníomhú mar oideachasóir dá phobal. Deir an Filí gur i leabhair a fuair sé an t-eolas atá aige ar na Fianna, agus tá sleachta de ghlanmheabhair aige as na leabhair sin a neartaíonn a chuid cainte. Tá cuid de thoradh a shaothair le feiceáil sa dán atá cumtha aige, 'Oisín agus Pádraig':

Go mbeannaíthear dhuitse, a ghaiscígh aosta,
A Mhic an Rí ba dheise cáil,
De scoth na bhfear nár chlis i gcruatan
Lena gcruachás ná neart a lámh.

A Oisín uasal ba bhinne briathra,
Ba thréine i gcath is ba chliste i *ngame*,
Aithris anois domsa, gan mhairg,
Cén chaoi a mhair tú i ndiaidh na bhFiann.

Tá dán eile cumtha ag an bhFilí a chuireann leis an tuairim gur oideachasóir a phobail é mar déanann sé iarracht Stair na hÉireann a chur i véarsaí sa bpíosa filíochta ar a dtugar 'An Gairdín Álainn'. Tá eolas i bhfad is i ngearr ar 'An tAmhrán Bréagach' agus ar an scéal a théann leis go raibh breitheamh sásta duine a bhí á chúiseamh a ligean saor dá gcumfadh an duine sin amhrán gan focal fírinne ann. Tá sé ráite gur mhionnaigh bean óg go raibh líne amháin fírinneach sa dán. Deirtear gurb éard a bhí sa líne ag an bhfile 'Uachtar bainne níor facthas ariamh gan mil' agus gur mhionnaigh an bhean air gurbh éard a dúirt sé 'uachtar bainne níor facthas ariamh gan im'. Ní mba le Filí Bhaile na mBroghach bailithe é, scríobh sé féin a Amhrán Bréagach féin. Léiríonn sé arís an-eolas ar áiteanna, ar an nádúr, agus ar stair sa dán seo. Ní miste a mheabhrú anseo go gcaithfimid a thuiscint go raibh eolas ag comharsana Joe Shéamais Sheáin ar scéalta agus ar sheanchas a bhain leo féin agus lena sinsir, ach gur fíorbheagán léitheoireachta a dhéanadh a bhformhór de bharr a bheith ag obair ó dhubh go dubh ó Luan go Satharn. Bhí an Filí ag ceangal an eolais a bhí sé a fháil i leabhair leis an mbéaleolas a bhí ag na daoine. Is foinse thábhachtach eolais dánta an Fhilí dá bharr sin.

Deirtear sa taobh seo tíre go raibh i bhfad níos mó eolais ag an seandream faoin dúlra ná atá ag an dream óg, gur thuig siad ó thorann an chladaigh nó ó cheol na habhann an chaoi a mbeadh an aimsir, agus gur thuig siad bealaí éanacha agus ainmhithe níos fearr ná an dream óg. Tá an-eolas go deo ag Filí Bhaile na mBroghach ar an dúlra. Chaith sé cuid mhaith dá shaol ag iascach ar aibhneacha agus ar locha atá idir a bhaile féin agus Uachtar Ard. D'fhéadfaí a rá faoi na chéad cheithre dhán sa gcnuasach seo gur macalla iad ar ghlór duine a bhfuil grá aige dá áit dhúchais agus, cibé áit ar domhan a gcaithfidh sé a shaol, go mbeidh sé ag cuimhneamh ar an mbaile go brách.

Nuair a léifeadh duine an chaint dhomhain atá curtha le chéile i ndánta creidimh agus i ndánta faoi chogaí, ní rithfeadh sé leis go bhféadfadh an file céanna dánta a scríobh faoi chlampar idir geaingear agus fir oibre ar an mbóthar, nó faoi chaora a imríodh ag imirt cártaí, nó fiú amháin turas a thug fear as Conamara ar an Astráil. Is dánta iad seo a bhfuil fiach agus eachtraí ag baint leo. Is dánta iad a thugann deis don Fhilí muide, a phobal, a chrochadh leis timpeall ar shiúlóid agus eolas a thabhairt dúinn ar áiteanna éagsúla mar a rinne sé sa bhfiach ar an nGráinneach Mór. Sna tríochaidí, ní mórán carranna a bhí ann agus ní bhíodh bealach daoine amach as a bparóiste féin, mórán, ach le dul go Gaillimh nó ar aonach.

Chomh maith le heolas a thabhairt dúinne ar áiteanna, thug sé filíocht dúinn a bhí lom lán le béaloideas. Ina theannta sin, thapaigh sé an deis le heolas a thabhairt faoi Fhianna Éireann agus faoi airm na haimsire. Ní hé amháin sin, ach thug sé léargas dúinn ar intinn na ndaoine an t-am sin is a ndearcadh ar an saol. Is tráchtas ar stair shóisialta an phobail dánta ar nós 'An Gráineach Mór', 'Bóthar an Locháin', agus 'An Chaora'. D'úsáid sé an deis sa dán 'Bóthar an Locháin', mar a rinne go leor filí fadó, le lárgas a thabhairt don phobal ar stair na hÉireann.

Sa dán 'An Gráinneach Mór', léiríonn an Filí tréith a bhí ag go leor d'fhilí na seanaimsire — dánta cáinte a dhéanamh faoi dhaoine nach dtaithníodh leo. Caithfidh sé gur chuimhnigh daoine a chuala an dán seo nárbh fhearr rud a dhéanfaidís ná gan Filí Bhaile na mBroghach a tharraingt orthu féin. Seo sampla de sciolladh filíochta an Fhilí ar an nGráinneach Mór:

Ní fhéadfadh an t-ádh a bheith 'dtigh Thomáis Uí Ghráinne,
A dúirt muintir na háite atá ina aice,
Mar tá sé róchiontaithe ag sagairt is ag bráthair
De bharr fealtúnas gránna is drochscannall.

Ní dhéanfainnse aon iontas dá dtitfeadh an láimh dhó,
Mar is minic í sáite sa mailís,
Is go bhfuadódh sí an bhráillín den chorp ar an gclár,
Ach gan duine a bheith i láthair lena bhacadh.

An bhó is an chaora, an searrach is an láir,
Má bhíonn siad ar fán uait ar maidin
Gheobhaidh tú a dtuairisc, más féidir a bhfáil,
Faoi ghlas ins an stábla ag an mbacach.

Smaoinigh ar an ógánach — 's é do dhrochnámhaid —
Ná bíodh aon cheo fágtha ina bhealach,
Mar bíonn sé go síoraí ag creachadh na háite
Is tú i do chodladh go sámh ar do leaba.

Fiach atá sa dán seo ar Thomás Ó Gráinne, geaingear bóthair as Áth Cinn a bhí ag obair i gConamara i dtús na dtríochaidí. Ní mórán dán eile den chineál seo atá le fáil i bhfilíocht tíre. Is tar éis don Fhilí an dán seo a bheith cumtha aige a chuala sé go raibh dán eile 'Fiach Sheáin Bhradaigh' cumtha ag Raifterí. Is i 1903 a cuireadh an chéad chló ar amhráin agus dánta Raifterí agus foilsíodh 'Fiach Sheáin Bhradaigh' in eagrán Dheireadh Fómhair/Samhain de *An Stoc* i 1924. Is san eagrán sin, freisin, a bhí 'An tAmhrán Bréagach'.

Ba mhinic le muintir Chois Fharraige dul suas trasna an chriathraigh go hUachtar Ard. Cuid de na háiteanna atá luaite ag an bhFilí sa dán 'An Gráinneach Mór' is áiteanna iad a bhíodh ar bhéal daoine de bharr a bheith ag taisteal na dtamhnach agus ag fanacht i gcuid de na tithe sléibhe seo corruair. Tá ainmneacha na n-áiteanna seo imithe as cuimhne cuid mhaith den aos óg anois. Ba dhuine é an Filí a raibh cleachtadh aige ar fhiach, cé nár mhaith leis féin giorria ná coinín a mharú, agus de réir mar atá sé ag dul in aois tá a ghrá do na hainmhithe fiáine seo ag méadú, agus is iad na téarmaí fiaigh a úsáideann daoine a bhíonn ag fiach atá go fairsing sa dán seo. Bhí an laochas, an neart, agus an spreacadh go láidir i bhféitheacha an Fhilí agus tá sé sin le mothú sa dán seo freisin i dteannta le meas ar scafántacht na laochra atá roghnaithe aige don fhiach.

Scoith sé an Púirín is barr Shailethúna,
Thug dúshlán gach cú is gach capall,
Uachtar Bhothúna is thart Seanadh Mhóinín,
I measc driseacha úra agus aiteann.

Déanadh é a choradh thart timpeall na coille,
Is chloisfí i mBoluisce gach béic uaidh.
Dhá bhfeicfeása an buinneán ag dul thart ar na tuláin,
Is Peadar Sheáin Stiofáin á phléatáil.

Ach tar éis a ndúirt sé faoin nGráinneach Mór sa dán seo iompaíonn sé thart i ndeireadh an dáin agus seo mar a chríochnaíonn sé:

Anois iontóidh mé tharam chun dea-chaint a chleachtadh,
Is déarfaidh muid paidir nó dhó dhó.
Tá an saol anois athraithe is tá an Filí bocht craite,
Ón lá ar thug sé an *sack* ar an mbóthar dhó.

Go dtabharfa Dia sólas is suímneas dhá anam,
I bParthas na n-aingeal le glóire.
Is an fhad is sheasfas an teanga i measc Gaeil Chonamara,
Beidh trácht i ngach teaghlach faoin spóirt seo.

Nuair a bhí bóthar an Locháin á dhéanamh i dtús na dtríochaidí, tháinig trioblóid eile ar an nGráinneach Mór, áit ar tháinig daoine, muintir an bhaile, ag iarraidh saothrú ar an mbóthar agus ní thabharfadh an Gráinneach aon obair dóibh. Nuair a dhiúltaigh siad dul abhaile, cuireadh fios ar na gardaí lena gcur as an mbealach. Sin a thug deis don Fhilí dán a chumadh ar bhóthar an Locháin a d'fhág an eachtra i gcuimhne na ndaoine ó shin.

Éistigí, a bhuachaillí, is tugaidh roinnt spáis dom,
Nó go réiteoidh mé an cás seo atá agam le scríobh,
Is go dtabharfaidh mé seanchas fada agus tráchtas
Ar an gclampar a tharla taobh thiar den Sruthán Buí.

Leanfad na húdair chomh fada agus is léir dhom,
Agus poibleoidh mé an scéal seo i láthair sean agus óg
Gur i mBaile na Feasóige a rinneadh an réabadh
An lá ar chruinnigh le chéile na fir ar an mbóthar.

Tá áibhéil uafásach déanta sna dánta 'An Gráinneach Mór' agus 'Bóthar an Locháin', ach is áibhéil í a bhfuair daoine sásamh uirthi. Sheasfadh daoine sa sneachta ag éisteacht leis an dá dhán seo agus tugann sé sásamh faoi leith dóibh daoine aitheantais a bheith ainmnithe iontu. Tá eolas stairiúil agus sóisialta le fáil sna dánta sin don ghlúin atá ag éirí suas faoi láthair. Tá na dánta féin mar chuimhne don ghlúin a d'éirigh suas le linn do na heachtraí seo a bheith ag tarlú.

Is áit mhór le himirt cártaí Cois Fharraige. Déanann an filí cur síos sa dán 'An Chaora' ar imirt cártaí. In aimsir na Nollag gach uile bhliain bíonn éanacha nó caoirigh á n-imirt sna tithe ósta anois ach ins na tithe cuarta roimhe seo. D'fhéadfaí a rá faoin dán seo gur aor bog é ar anduine a chuir an chaora á himirt, mar nuair a bhuaigh an Filí agus na páirtithe a bhí aige an chaora bhí sí i bhfad ní ba lú ná mar a bhí siad ag súil go mbeadh sí:

D'fhreagair an stáidfhear go múinte,
Is labhair sé go ciúin is go réidh.
'S éard a dúirt sé gur caora a ghrúigh duais í,
Le meáchan, le tiús, is le méid;

Gur chaith sí seal fada ina chúram
Ar thalamh a bhí plúchta ag an bhféar
Is go raibh buachaillí ceaptha i gcaitheamh an fhómhair
Dhá cumhdach i ngleanntáin Mhám Éan.

Is leagadh na boird lena chéile,
Is cuireadh gach aon fhear ina shuí,
Is roinneadh na cártaí deas éasca,
Is ceapadh an *game* ar chúig fichead.

Is ansin thosaigh an lascadh is an réabadh
Nó nár airíodh é ag éalú an mheán oích',
Ach ó ruaigeadh Rí Séamas as Éirinn
Níor facthas aon phléatáil mar í.

Leanadh den chath sin go maidin —
  Ag liúradh, ag lascadh, is ag gleo —
Is chloisfí gach uaill is gach agall
  Taobh thiar de Cheann Caillí gan stró.

Tá an-chosúlacht idir na trí véarsa deiridh sin agus an gnáthchur síos a dhéanfadh fear ar imirt cártaí a mbeadh sé aige. Cé go ndéanann sé clamhsán sa dán seo faoi chomh héadrom is a bhí an chaora a fuair sé, taispeánann sé sa dá véarsa deiridh nach bhfuil sé ach ag déanamh spóirt faoin scéal.

Anois ólfaidh muid sláinte ar an gcaora
  Is déanfaidh muid siamsa agus greann;
Go bhfága Dia a sláinte is a saol
  Ag chuile líon tí a bhí ann.

Is arís nuair a thiocfas an geimhreadh,
  Le cúnamh Mhac Naofa is a Mháthair,
Beidh muid ag imirt na gcaoirigh
  Is ólfaidh muid fíon agus leann.

Dán eile a dhéanann cur síos ar tharlú is ea 'Contae na Mí'. Déanann an Filí cur síos ar an aistir a rinne muiríní as Conamara go Contae na Mí le cónaí ann, ach, freisin, insíonn sé dá phobal cé as a dtáinig siad an chéad lá riamh. Is daoine iad a díbríodh as na taltaí seo agus ba é a gceart a bheith ag dul ar ais ann, a deir sé.

Taltaí a sinsir a ruaigeadh iad fré chéile as,
Mar b'éigin dóibh éalú ón léirscrios is ón ár.

Seo é an t-aon dán amháin a nochtann an filí a dhearcadh polaitíochta ag an am sin, más é a dhearcadh féin é, nó arbh amhlaidh a luann sé an moladh seo ar Éamon de Valera de bharr gurbh eisean a d'athraigh an scéim a bhí ag Cumann na nGael, i.e. tuilleadh tithe a dhéanamh i Seanadh Féistín le muiríní a aistriú as áiteanna a raibh brú mór daoine le cladach. Is eagraíocht Ghaeltachta a bhí an-láidir sna tríochaidí a chuir brú ar Rialtas Fhianna Fáil gabháltais mhóra lár tíre a roinnt ar chuid d'fheilméaraí beaga Chonamara.

Is molfaidh muid Éamon, fear seasta na tíre,
  Is an dea-Ghael is iontaí dá bhfaca muid fós;
Shaorfadh sé Éire ó shlabhraí na daoirse
  Ach lántoil na ndaoine a bheith leis ins gach gó.

Molfaidh muid suas é, ár dtaoiseach is ár gcaraid,
  A throid is a sheas dúinn in aghaidh clampair is drochdhlí,
Is atá ag déanamh a dhíchill leis na dualanna a ghearradh
  Agus muide a fhágáil dealaithe as eangach Sheáin Bhuí.

I dteannta leis an dán faoi imeacht na muiríní as Conamara go Contae na Mí, scríobh an Filí dán seasca agus a hocht véarsa ag cur síos ar aistir a rinne Spailpín as Camas go Darwin san Astráil. Sa dán seo tá cur síos tugtha ar an aistir i long ó chóstaí na hÉireann go dtí an Astráil. Tá léargas tugtha freisin ar dhearcadh phobal Chonamara ar chiníocha eile, ar áiteanna eile agus ar an gcineáltas agus ar an taghd a bhaineann linn mar phobal. Tá léargas ann freisin ar umhlaíocht mhuintir Chonamara do lucht údaráis. D'fhéadfaí cuid den dán seo a chur i gcomparáid le cur síos ó dhaoine as Conamara a thagann abhaile as Meiriceá, as Sasana, nó as áiteanna eile a bhfuil seal caite acu ar imirce iontu. Tá léargas eile tugtha sa dán seo, eolas faoi áiteanna ar an mbealach, faoi chiníocha, faoin ngrian, faoin aimsir, faoin bhfarraige, faoi iasc, faoi éanacha, fiú amháin faoi chrith talún. Seo sampla eile den Fhile ag ceangal gnáthchur síos le heolas nua dá phobal.

Dúirt mé ar ball go gceaptar go bhfuil fios ag Filí Bhaile na mBroghach, agus go bhfuil cumhacht osnádúrtha eicínt ag baint leis. Ní le Filí Bhaile na mBroghach amháin a bhaineann seo. Bhain sé le filí na seanaimsire. Breathnaíodh ar an bhfile sa tseanaimsir mar dhuine fadbhreathnaitheach a d'fheicfeadh roimhe. Chreid Filí Bhaile na mBroghach go raibh an tréith seo ag baint leis féin nuair a chum sé dán faoin Dara Cogadh Mór roinnt blianta sular thosaigh an chogadh sin. 'Lá na Fola' a tugadh ar an bpíosa filíochta siúd agus foilsíodh é i n*Gearr-Bhaile 1937*. Tháinig cuid mhaith dá raibh sa dán sin isteach fíor. Sa gcéad véarsa tá sé ráite:

Nach feasach muid uilig, a cháirde,
  Go bhfuil lá na fola ag teacht!
Is faoi chomhair an dúnmharú cráite
  Tá gach náisiún ag feistiú i gceart.
Mo bhrón! nuair a thiocfas an lá sin
  Nach iomaí fear breá a bheas i bpian,
Is a labhrós na focail go dána:
  'Is é mo chrá má rugadh mé ariamh.'

Is ag samhlú an tsléachta a bheadh déanta dá dtiocfadh cogadh eile atá an véarsa seo.

A Mhuire, nach millteach an sléacht é!
  Dearc ar na céadta ar lár,
Is na míoltóga ag luí ar a n-éadan,
  A bhí lá de na laethanta faoi bhláth.
An sruth saolta a bhí ina lámha
  Is ag rith le gach ball díobh inné,
Tá seisean ag sileadh le fána
  Is é sloigthe go mall faoin gcré.

Seo an chaoi ar shamhlaigh sé daoine a bheith tar éis an chogaidh:

Nuair a ghlacfas na náisiúin a suímreas,
'S nuair a shocrós an saol mar is cóir,
Nuair a bheas deireadh le plá ins na ríochta,
  Is dhá dtrian de na daoine faoin bhfód,
Ó! cloisfear an bhean bhocht ag béiceach,
  'S a croí istigh á réabadh le cumha,
Ag caoineadh i ndiaidh clainne is céile
  A leagadh, mo léan géar, ansiúd.

Shamhlaidh sé freisin go soiléar an t-anó agus an cruatan a bhainfeadh le cogadh mór:

Féach ar na hógánaigh scanraithe,
  Is iad ag rith lena n-anam ón bpian!
Féach ar na seandaoine craiplithe
  Is iad ag guimhe ar an leaba ar a ndícheall!
Féach ar na máithreacha básaithe
  Ar an tsráid is ar an teallach, mo léan!
Agus féach ar na páistí óg fágtha —
  Ina ndíleachtaí creachta go héag.

Deir Seosamh féin gur cheap muintir Chois Fharraige nach raibh aon chontúirt cogaidh ann sna fichidí ná amach i lár na dtríochaidí mar go raibh Sasana agus Meiriceá fíorchumhachtach.

Go deimhin, bhí cuimhne acu ar an gcéad chogadh mór agus ar an gcogadh sa tír seo féin le saoirse a bhaint amach, agus ina dhiaidh sin an cogadh cathartha. Ní raibh an Filí ar aon intinn leo faoi chogadh eile. B'fhacthas dó go dtiocfadh an dara cogadh mór taobh istigh de bheagán blianta. I 'Lá na Fola' tugann sé léargas ar an eolas a bhí aige ar airm agus ar ghunnaí. Luaigh sé an meaisínghunna Maxim, meaisínghunna trom Gearmánach a úsáideadh sa gcéad Chogadh Mór agus sa Dara Cogadh Mór. Níor mhór uisce leis an ngunna seo a fhuarú. 'Vickers' a thugtaí ar a mhacasamhail sa mBreatain ón gComhlucht Vickers Armstrong agus is é an Vickers freisin a bhí in úsáid in Éirinn. Luann sé an Lewis freisin, gunna mór so-iompar a d'fhéadfaí a fhuarú le haer. Bhíodh an Lewis in úsáid ag trúpaí na hÉireann. Caithfidh sé gur léigh an Filí faoi na hairm seo i bpáipéir nó in irisleabhair. Bheadh an t-eolas freisin acu siúd as an áit a chaith tamall san arm. Seo véarsa ina luaitear airm:

Cloisim an Maxim ag gnúsacht,
  Ag cur luaidhe ina mhúr uaidh amach,
Is airím ag screadach an Lewis —
  Nach minic a ghnóthaigh sé i gcath!
Ó! fágfaidh mé an áit seo, má fhéadaim,
  Agus treabhfaidh mé an réimse seo romham,
Agus fágfaidh mé slán ag na tréanfhir,
  Nach siúlfaidh an féar go lá an Luain.

Fuair an dán seo an-éisteacht in aon áit dár dhúirt an Filí é. Ní hé amháin go raibh go leor le foghlaim as ag pobal na huaire sin, ach tá léargas le fáil ag aos óg an lae inniu nár mhiste dóibh a bheith acu. Éiríonn leis an bhFilí a léiriú sa dán seo go raibh faitíos air féin go dtiocfadh cogadh eile. Léirigh sé freisin saint na náisiún i gcumhacht agus agus a n-easpa suime sa duine. Luaigh sé go soiléar tábhacht agus buaineadas ríocht Dé. Tugann sé cur síos soiléar dúinn faoi chathracha agus faoi dhaoine neamhurchóideacha ag siúl sráide agus an chaoi a mbeadh daoine le linn an chogaidh agus ina dhiaidh. Tugann sé eolas dá phobal féin ar thíortha agus ar chumhachtaí agus ar airm. Is iontach go deo an cumas atá ann cur síos a dhéanamh ar fhulaingt agus ar an mbás. Tá maoithneachas le léiriú sa gcaoi a gcuireann sé anó agus trioblóid inár láthair. Taispeáineann sé an-tuiscint ar nádúr na máthar. Déanann sé tairngreacht go dtiocfaidh plá i ndiaidh an chogaidh agus go mbeidh dhá dtrian den phobal faoin bhfód. Ní raibh an dara cogadh mór i bhfad thart go raibh scéin i ndaoine arís go dtiocfadh cogadh eile agus ní mba leis an bhFilí bailithe é, chum sé dán ar a dtug sé 'An Treas Cogadh Domhanda'.

Tá sé ag léiriú an fhaitís ar cheart a bheith roimh an Tríú Cogadh Mór agus ag iarraidh orainn ár n-anam a réiteach. Iarrann sé orainn ár muinín a chur san urnaí. Deireann sé go gcoinníonn sí uainn an namhaid agus go gceanglaíonn sí ár ngrá le Dia. Deir sé go bhfuil cathú i ndiaidh intleachta is smaointe ach nár chóir dearmad a dhéanamh ar Dhia. Feiceann sé dhá chontúirt mhóra ag bagairt ar an domhan seo. An chéad cheann, cogadh domhanda eile, agus an dara ceann, gach creideamh ag fáil lag agus ag leámh.

A Chríostaithe na cruinne, éistidh
Is dúisidh ó néal gan mhoill,
Is tugaidh fá deara, más léir dhaoibh,
An duifean sa spéir sin thoir.

Beidh an stoirm go láidir ag séideadh,
Is ní bheidh foscadh dá réir ag an long.
Is mura gcabhraí Muire is Flaitheas Dé linn,
Beidh muid go léir faoin tonn. . .

An urnaí, an urnaí, a cháirde,
Níor chlis sí sa ngábh ariamh.
Ó, 's í a dhéananns a n-anam a shábháil,
Is a chuireanns an t-ádh ina dtriall.

Fógraíonn sé go láidir orainn ár muinín a chur sa bpaidir. Tá claonadh aige tagairt a dhéanamh d'eachtraí staire anois agus aríst.

Scaip siar do chuid smaointe ar Lepanto —
  Miorúilt an achrainn is an ghleo —
Nach raibh an choinneal á múchadh san gcath sin,
  Nó gur las sí le paidir is le deoir.

Is ar an gcath a troideadh idir na Turcaigh agus na Críostaithe in aice le Lepanto ar an 7 Deireadh Fómhair 1571 atá sé ag cur síos ansin.

Tá croí an dáin seo i dtrí véarsa:

Tá dhá chontúirt baolach ag bagairt
  Ar éadan an domhain seo faoi láthair:
Cogadh 'gus loscadh gnímh admhach
  A fhágfas gach aon ní ar lár.

Is an dara ní eile is measa:
  Tá gach creideamh ag fáil lag is ag leámh,
Is ceannairí tíre ag ceapadh
  Go gceansóidh siad aimsir is spás.

Má thosaíonn an treas cogadh domhanda —
  Ó! níor mhaith liom go bhfeicfinn an lá —
B'fhearr liom a bheith sínte sa talamh
  Ná i mo sheasamh i measc fianaise ann.

Tá an chaint sin chomh fíor inniu is a bhí sí an t-am ar cumadh an dán seo thart ar dheich mbliana fichead ó shoin. Is caint í a dtiocfaidís seo léi atá páirteach sa bhfeachtas dí-armála faoi láthair.

Is sa dán ar a dtugtar 'An Bheoichte' atá an chruachaint is fearr ina chuid filíochta. Seo trí véarsa:

Tabhair aire do bheoichte na fola
  Is tógfaidh sí sprid théis do bháis,
Is codlóidh sí in uaigneas na cruinne
  Nó go ndúiseoidh a sholas í lá. . .

Smaoinigh ar do chorp mar an gcéanna;
'S é a iompraíonns síol toradh do bháis;
Smaoinigh go ndéanann sé goineadh —
Thrí ghuimhe ní féidir leis fás.

Bronntanas síoraí é an creideamh —
Níl péarla níos daoire le fáil —
Má chuireann tú t-anáil ina choinne,
Ar ais léi níos glaine is níos fearr.

Tá dearcadh an Fhilí ar an saol léirithe sa dán seo. Is é an dán deiridh é atá cumtha aige agus is é an dán is mó den chnuasach seo ar fad é a bhfuil bród aige as. Tá amhrán le Mícheál Breathnach, 'An Deoraí ó Éirinn' ar bhéal daoine i gCois Fharraige le fada an lá. Chum an Filí dán eile deoraíochta ar a dtug sé 'An Deoraí as Baile na mBroghach'. Cur síos atá sa dán ar an bhFilí imithe óna ghaolta, ón spórt, agus ó áiteanna a raibh luí aige leo agus é ag éirí suas. I rith cuid mhaith de shaol an Fhilí, is iomaí duine aitheantais a raibh air an íobairt sin a dhéanamh ar son ghreim a bheil a shaothrú do chuile dhuine ina theaghlach.

Is deas mar a mholann an Filí baile eile atá taobh thiar den abhainn ó Bhaile na mBroghach. Leithrinn ainm an bhaile agus is é ainm an dáin freisin é. Is é an dán ar Mharcas Júidín an t-aon dán molta amháin a rinne sé faoi dhuine atá beo fós.

Ceithre agallamh beirte atá sa gcnuasach seo: 'An Filí agus an Ceannaí', 'Oisín agus Pádraig', 'An Bhean Sí', agus 'Aiséirí an Pheacaigh.' Ní hé an leagan amach céanna atá ag Filí Bhaile na mBroghach ar an agallamh agus atá ag filí eile i gConamara. Ní thugann sé an oiread céanna deis chainte do gach aon phearsa san agallamh. Is san agallamh 'An Filí agus an Ceannaí' is fearr a fhaigheann gach aon duine den bheirt cothromaíocht chainte. Tá an chosúlacht ann nach bhfuil an t-agallamh 'An Bhean Sí' críochnaithe mar abraíonn an Filí féin go ndearna sé an píosa seo ach nár chríochnaigh sé é agus nach bhfuil faoi aon véarsa eile a chur leis. Seo an t-aon aisling amháin atá sa mbailiúchán.

Dhá dhán atá sa leabhar seo ag cur síos ar stair na hÉireann: 'Inis Fáil' agus 'An Gáirdín Álainn'. Dán eile atá againn a raibh cáil air i gCois Fharraige is ea 'An Tarbh'. Píosa tábhachtach é seo a thugann léargas ar an gcaoi a gceansaítí tairbh agus beithígh láidre eile a bhíodh le marú nó le coilleadh trí iad a sheoladh amach i gcíocraí go dtéighidís á mbáthadh. Ceanglaítear an phraiticiúlacht agus litríocht an laochais le chéile sa dán seo ar an tarbh.

Tá dán sa leabhar seo nach bhfuil gach uile véarsa ann cumtha ag an bhFilí. 'Turcaí na Céibhe' a baisteadh air. I dteach cuarta ar an gCéibh Nua a cumadh an dán seo faoi thurcaí a cuireadh ar imirt chártaí agus a ghnóthaigh triúr as Cor na Rón. Bhí an Filí ina chomhairleoir ag an ngrúpa daoine óga a chuaigh i mbun filíochta faoin turcaí. Nuair a bhíodh cúpla véarsa cumtha acu thagaidís chuig an bhFilí lena bharúil a fháil agus nuair a bhíodh sé sásta lena n-iarracht leanaidís orthu. Sin sampla den Fhilí i mbun scoil filíochta.

An Filí agus a Ghairm

Nuair a fhiafraítear den Fhilí cén fáth a ndeachaigh sé ag cumadh filíochta, is é an freagra atá le fáil uaidh: 'Bhí sé istigh ionam agus níor bheo mé go bhfaighinn de mo chroí é. Mar a bheadh duine eile ag portaireacht nó ag gabháil fhoinn, bhinnse ag cumadh filíochta sa ngarraí, ar an leaba, ar an bportach, nó ag siúl an bhóthair.' Níl aon aimhreas nach bhfuil meas ag an bhFilí ar a ghairm. Is léir dó gur oidhre é féin ar Fhilí na Gaeilge. Creideann sé go bhfuil féith na filíochta ann. Ní hé amháin go bhfuil a fhios ag a phobal féith na filíochta a bheith ann ach tá a fhios acu go bhfuil na tréithe éagsúla aige a ceanglaítear le filí sa mbéaloideas.

Tá nuafhilíocht mhaith á foilsiú i leabhair agus in irisí Gaeilge faoi láthair. Is minic a d'fhiafródh duine de féin cén tsuim atá ag an ngnáthphobal sa bhfilíocht sin nó cé mhéid di a léitear. Is é mo bharúil féin gur fearr dán a aithris agus éisteacht á fháil lena aghaidh ó chomhluadar ar bith atá bailithe le chéile ná a bheith ag caint faoi go ceann seachtaine. Níl aon aimhreas nár chreid an Filí gur tábhachtaí an fhilíocht le n-éisteacht léi ná í a bheith fágtha i leataobh ar pháipéar. Níor scríobh sé aon cheann dá dhánta riamh ach chuir an chruachaint a bhí iontu daoine á bhfoghlaim de ghlanmheabhair uaidh le nach ndéanfaí dearmad orthu go héasca.

Rinne an Filí iarracht maireachtáil mar a mhair filí an amhráin nó filí an dáin dhírigh. Tharraing sé chuige aon eolas a bhí oiriúnach dá ghairm as leabhair éagsúla ag cur síos ar litríocht na Gaeilge agus freisin as irisí Gaeilge agus as páipéir nuachta a bhí ar fáil. Is cuma cén tógáil atá faighte ag file, nó is cuma cén oidhreacht atá taobh thiar de, is é an craiceann a chuireann sé ar a smaointe nuair atá sé ag cumadh filíochta a tharraingíonn aird an phobail air. Chuir an Filí níos mó suime sa tsamhlaíocht ná sa réasún ina chuid dánta. Ní fhéadfaí a rá go bhfuil réasún ag baint le roinnt mhaith den bhéaloideas. Ní de réir réasúin a cuireadh 'An Gráinneach Mór' le chéile ná 'Bóthar an Locháin' ach oiread. Bhí aird ag an bpobal ar na dánta sin mar gur bhain an Filí úsáid as leaganacha agus stór focal fhilí na seanaimsire ach, freisin, d'úsáid sé an sciolladh agus an moladh atá i gcaint na ndaoine agus i bhfilíocht an amhráin agus an dáin dhírigh. Bhraith feabhas na ndánta sin ar an gceangal atá acu le saol agus le bealach maireachtála na ndaoine. Bhí an Filí in ann craiceann maith a chur ar na samhlacha a chruthaigh sé sna dánta sin mar gurbh aon bhunadh amháin é féin agus a phobal.

I gcás an chuid is mó dá chuid filíochta, bhain an filí úsáid as oidhreacht liteartha atá na céadta bliain d'aois. Rinne sé fíochán idir sin agus an saol sóisialta ina áit chónaithe féin. Le go dtuigfí an cnuasach dánta seo i gceart níor mhór dúinn staidéar a dhéanamh ar stair shóisialta Chonamara sa gcéad trí ceathrúna den chéad seo sula bhfaighfí léargas ceart ar an intinn a bhí taobh thiar den chumadh sna dánta.

Phioc an filí pointí samhlaíochta a bhí in intinn na ndaoine. D'úsáid sé a theanga aclaí orthu agus chuir sé i bhfocail iad. D'éirigh leis suim a phobail i seanleaganacha filíochta a mhúscailt mar gur ainmnigh sé daoine agus áiteacha a bhí ar eolas na ndaoine a bheadh ag éisteacht lena dhánta. D'úsáid sé sean-nathanna cainte ach cor nua curtha iontu agus iad i gcaint na háite.

An Teanga

Ní fhéadfaí a rá go bhfuil mórán focail chrua, do-thuigthe, ag rith tríd an bhfilíocht seo. Is bua faoi leith ag an bhFilí a bheith in ann a smaointe a chur i gcaint shimplí. Is í caint na ndaoine sa taobh seo tíre atá sna dánta. Is iad focail shimplí na cainte a d'úsáid sé. Is do phobal Ghaeltacht na Gaillimhe go speisialta a bhíonn sé ag cumadh, mar sin ní raibh nósanna scríbhneoireachta na Gaeilge ag cur imní air. Déantar iarracht sa leabhar seo na dánta a scríobh chomh gar don chaighdeán agus is féidir gan meadaracht ná fuaimeanna a chur as a riocht. Rinne Tomás de Bhaldraithe taighde ar dheilbhíocht Ghaeilge Chois Fharraige le linn blianta an dara cogadh mór agus tá toradh a shaothair foilsithe sa leabhar *Gaeilge Chois Fharraige, An Deilbhíocht,* Baile Átha Cliath 1953. Tá mórchuid de thréithe na canúna le fáil i saothar an Fhilí ach de bhrí go bhfuil scríobh agus léamh na Gaeilge aige úsáideann sé foirm na canúna uaireanta agus an fhoirm scríofa uaireanta eile. Is iondúil gur *cr, gr, mr,* agus *tr* a bhíonn aige ar *cn, gn, mn,* agus *tn,* m.s. *Abhainn an Chroic, gríomh, mrá.* Ní hionann foirm an chaighdeáin agus foirm na canúna den bhriathar saor, aimsir fháistineach, ná sa modh coinníollach, aige i bhfocail mar *ceangail, brostaigh, aithnigh, airigh.* Is *-á, -ór* atá sa gcanúint san áit a bhfuil *-ófá, -ófar* sa gcaighdeán. Bíonn *de* agus *do* meascaithe go minic agus *cá* agus *cé* freisin mar a bhí ó aimsir na Sean-Ghaeilge. Is *a* is mó a úsáidtear in áit *ár* agus *bhur* sa gcaint. Tá an péire in úsáid ag an bhFilí. Is minic gur *lib* agus *sib* a bhíon aige in áit *libh* agus *sibh.* Is *garla* atá ar *ghalar* agus *liúnta* atá againn ar *leonta.* Tá tuilleadh eolais den chineál seo curtha ar fáil sna nótaí bun leathanaigh atá leis na dánta.

Focal Scoir

Tá iarracht déanta agamsa sa réamhrá seo eolas agus smaointe atá ag snámh in intinn phobal Chois Fharraige faoi Fhilí Bhaile na mBroghach a chur ar pháipéar. Tá na dánta sa leabhar seo ar bharr a mbéil ag roinnt mhaith san áit, rud a chruthaíonn a meas ar a shaothar.

Tagann athruithe ar phíosaí filíochta a bhíonn ag imeacht ó bhéal go béal. Cuireann an Filí féin athruithe ar na píosaí, mar caithfidh sé go dtéann sé tríd an gcuid is mó acu gach uile sheachtain sa mbliain lena gcoinneáil i gcuimhne. Fágann seo leaganacha éagsúla ar véarsaí áirithe le fáil i ngach uile thaifeadadh a dhéantar de na dánta fada.

Tá sé suntasach ón saothar seo go dtáinig Filí Bhaile na mBroghach faoi thionchar fhilí na hathbheochana, ach chuir sé cor sa gcumadóireacht a dhírigh aird an phobail i gCois Fharraige ar a raibh ina chuid dánta.

Níl sé críochnaithe ag cumadh fós. Go dtuga Dia saol fada dó le tuilleadh filíochta a dhéanamh.

Buíochas

Tá mo bhuíochas ag dul don Fhilí as chomh foighdeach, tuisceanach is a bhí sé liom nuair a bhí mé ag tógáil an tsaothair seo ar pháipéar uaidh. Bhí a chomrádaithe thar a bheith sásta na dánta a bhí imithe ó chuimhne air féin a chur ar fáil dom agus fáilte. Ar na comrádaithe sin bhí Peadar Mháirtín Tom Ó Donnchadha, Peadar Mhicilín Ó Cualáin, agus Tom Bán Breathnach. Tá buíochas ag dul do Thadhg Ó Séaghdha, go ndéana Dia grásta air, as ucht cuid den saothar seo a fhoilsiú in irisí Gaeilge agus cuid de na dánta a mhúineadh dá chuid scoláirí i scoil Shailearna. Is mór an chomaoin atá curtha ag an Mon. Eric Mac Fhinn ar Chois Fharraige leis an obair a rinne sé ar *Ar Aghaidh* ar feadh dhá scór bliain. Ba éascaíocht mhór cuid de dhánta an Fhilí a bheith ar fáil san iris seo — iris ar stair shóisialta Chois Fharraige. Ba mhaith liom buíochas a ghlacadh freisin le Máire Ní Chearra, Bord na Gaeilge, Coláiste na hOllscoile, Gaillimh, as ucht an obair chlóscríbhneoireachta a dhéanamh, agus le Gearóidín Ní Ailpín, Roinn na Tíreolaíochta, as ucht an léarscáil a dhéanamh. Mé féin amháin atá freagrach as aon easpa nó locht atá ar an leabhar.

PEADAR MAC AN IOMAIRE

NA DÁNTA

SLÉIBHTE CHONAMARA

Ligeann an Filí air féin sa dán seo gur duine as Conamara é atá thall i mBoston Mheiriceá. Cuireann sé a smaointe faoi shléibhte Chonamara, agus é i bhfad uathu, mar dhea, i bhfilíocht.

Nach álainn í an mhaidin, 's nach ard iad na beanna,
Is na lochanna i bhfolach in uaigneas na ngleann?
Níl smúit ná scamall ar chnoic Chonamara,
Ach an ghrian gheal ag scairteadh go deas ar a mbarr.

A chnoic Chonamara, ar chaith mé libh tamall,
Nuair a bhí mé in a[1] n-afrac,[2] im' ghasúr ag fás,
Ach céad faraor chrua dheacair go mb'éigin dom scarúint
Ó na sléibhte atá i bhfad uaim is nach bhfeicfead go brách.

Céad slán agus beannacht le cnoic Chonamara
Is leis na lochanna glana 'tá thiar ar a scáth;
Mo bhrón is mo mhairg nach bhfuil mé in a[1] n-aice,
Is nárbh fhurasta dom fascadh a fháil ó theas an lae bhreá.

Tá nósa na cathrach, a béasa is a bealach,
Ag ithe is ag gearradh mo chroí istigh i mo lár,
Is an ceiliúr a chleacht mé go siamsúil ag baile,
Ní chloisfidh mé feasta é, mo chreach is mo chrá!

Mo bhrón is mo mhairg nach bhfuil mé sa stáid siúd
Ar ais i mo ghasúr ag tobar an Mhám,
Is ag spaisteoireacht thart ins na gleanntáin gach maidin,
Nó in airde ar an gcarraig ag baint an fhraoich bháin.

Ach, céad faraor chrua dheacair, tá an aimsir sin caite,
'Gus ní thiocfaidh an t-am sin i mo bhealach go brách,
Ach fágaim mo bheannacht ag cnoic Chonamara,
Is ag na comharsana geanúil taobh thiar d'Uachtar Ard.

[1] bhur

[2] n-amharc

ABHAINN AN CHNOIC

Bhí an Filí lá ag iascach ar Loch Bholuisce ach ní raibh sé ag fáil aon bhreac. Chuaigh sé as sin siar ar Abhainn an Chnoic agus ba é an cás céanna aige é. Shuigh sé síos ag breathnú amach ar an abhainn. Sin an uair a tháinig an smaoineamh chuige dán molta a dhéanamh di. Ní cuimhneach leis an dáta ach scríobh Mícheál Ó Coistealbha as Baile na mBroghach síos uaidh an chéad leagan agus foilsíodh in 'Ar Aghaidh' é i mí Meitheamh 1943. Tá roinnt mhaith athruithe curtha ag an bhFilí féin ar an dán ón am a bhfuair Mícheál uaidh é go bhfuair mise uaidh é faoi Nollaig 1980.

'S nach síoraí mar a ghluaiseanns tú, a Abhainn an Chnoic,
Trí mhóinte 's trí bhánta, is tú ag triall ar an muir,
  Nach iomaí lá álainn 'tá ardaithe ar siúl
  Ó bhuail tú le fána na n-ardán ar dtús?

Nach mise atá bródúil go hóg ins an saol
Is mé ag siúl le do theorainn le sólás mo chroí?
  Cá bhfios ar[1] bréag é an scéal seo le rá
  Go mbeidh mé na céadta[2] i gcéin uait ar ball?

Ach pé ar bith cén réigiún a chuirfeas mé fúm,
Is a chaithfeas mé mo théarma sna laethanta seo romham,
  Rithfidh mo chuid smaointe ar an abhainn sin go luath,
  Is ar na laethantaí deas siamsúil a bhínn síos lena bruach.

Rithfith mo chuid smaointe ar an tráth a bhí mé óg,
Is mé ag siúl le do chriostal gan doicheall, gan brón,
  Ag súgradh is ag falróid gach maidin is nóin,
  Is mé i bhfochair mo chairde ar Ard Eas an Dúin.

Gluaisis, ar nós eascainn' nó péist' tríd an ngleann,
Ag ardú 's ag ísliú, 's gan scíth duit i ndán,
  Faoi chruatan gach geimhreadh — gan dídean, gan scáth —
  Beidh tusa mar a bhí tú is gan mo chroí-sa le fáil.

[1] an   [2] na céadta míle

’S nach minic a shiúil an torc fiáin leat síos,
Is a threabh sé do bhruacha ar uair an mheán oích’,
’S nach minic a thuirling na héanlaith i do ghleann,
Faoi chlúdach na giúsaí a bhí ag luascadh go hard?

Nach minic a choisc tú an faolchoin ar an tart,
Is an eilit mhaol éasca an tráth a mbíodh sí ag dul thart,
Ó shinsear go sinsear is ó ghlúin go dtí glúin,
Gluaiseann do thuiltí ón loch go dtí an cuan?

Céad slán agus beannacht leat, a shrutháinín róshean,
Is gach pabhsae dhá bhfásann trí t’uisce deas glan,
Is ag taisteal go brách dhom go deireadh mo shaoil,
Beidh do smaointí gach am ag cur áthas ar mo chroí.

MAIDIN BHEALTAINE

Tugann tús an tsamhraidh croí agus misneach do dhuine agus do bheithíoch, agus ina theannta sin cuireann sé slacht ar an taobh tíre mar tá boradh fáis faoi gach uile fhásra. Spreag sin an Filí leis an dán álainn seo a chumadh. Samhlaíonn sé fíoráilleacht an tsaoil lena bhfuil le feiceáil aige i gcomharsantacht Bhaile na mBroghach.

Nach aoibhinn liom ceiliúr na n-éan ar an gcrann
  An mhaidin chiúin álainn agus mé ag fáinneáil sa drúcht.
Bíogann mo chroí 'gus m'intinn le áthas
  Tráth dhearcaim an tráth sin ar na gleannta amach romham.

Gach pabhsae ag goineadh is ag borradh go breá,
  Grian gheal na Bealtaine ag ardú aníos,
Gan scamall gan smúit ar an spéir in aon áit —
  Ó, céad míle fáilte roimh áilleacht an tsaoil.

An bheach is an chuileog ina luí ar an mbláth;
  Is an sionnach go sásta ar an leac ina shuí,
Feiceann sé chuige an lacha is a hál
  Atá ag teacht ins an snámh san loch atá faoi.

An t-uan, is an searrach ag diúl ar a mháthair,
  'S an smólach go hard ag caitheamh nótaí ón gcraobh,
An broc ar a bhealach fán gcarraig sin thall
  Le codladh go sámh ann go titim na hoích'.

Feicim amach uaim na púicíní báite,
  Ag teacht chugam ón láib, ag oscailt a gcroí,
Is an giorria ag treabhadh thrí na ceannabháin bhána —
  Pé ar bith cén áit a chuirfidh sé faoi.

Rachaidh mé suas ar an strapa mór ard sin
  Nó go bhfeice mé áilleacht na ngleannta fúm síos.
Tá sméara is sú salúin[1] is fraochóga 'fás ann,
  Ach níl siad an t-am seo sách aibí le n-ith'.

[1] sú talún

Rachaidh mé abhaile ar lomchosa in airde —
  Ní fhéadfaidh mé an lá breá a chur tharm fá dhraíocht —
Ach rachaidh mé an bealach, le cúnamh Dé, amárach
  Nó go mbaine mé sásamh as fíoráilleacht an tsaoil.

LEITHRINN

Seo dán molta ar bhaile atá taobh thiar den abhainn ó Bhaile na mBroghach. Trí theach a bhí ar an mbaile seo nuair a cumadh an dán. Tá áibhéil an-mhór déanta ann, ach fuair daoine an-spóirt ag tabhairt na háibhéile sin faoi deara.

'Nuair a éirímse ar maidin tar éis suan agus codladh na hoích'
Agus a fhéachaim uaim tharam ar an mbaile údaí i measc na gcraobh,
Tá an bua dhósan ceapaithe ar gach ceantar is deise sa tír,
Is go meallfadh sé t'amharc nuair a dhearcanns tú siar air go grinn.

'S í Leithrinn an chraobh is an taobh tíre is deise le fáil,
A cuid cnocán breá aerach le feiceál ann i bhfad is i ngearr,
Agus shílfinnse féin, dhá mbeadh éirim ar bith i mo cheann,
A cáilíocht a léamh sula dtréigfinn sean-Inis Fáil.'

'S éard a dúirt an fear siúil a shiúil gach réigiún ar fad —
An Bheilg is an Eadáil, Sasana, an Ghréig, is an Fhrainc —
Shiúil sé leis Éire ó thuaidh is ó dheas,
Ach gur fhág sé an svae ag an réimse sin siar ag an Eas.[1]

Nuair a sheas sé ar an Tamhain ard thiar is d'fhéach sé thall is abhus,
Chonaic na haibhne is na srutháinte ag gluaiseacht le fána na gcnoc;
Chonaic sé na páirceanna ab áilne dár cruthaíodh faoin bpláinéad go fóill,
Is cén t-iontas nach dtabharfadh sé an barr dhó go háithrid an fhad 's bheadh sé beo?

[1] Eas an Dúin

'Tá na caoirigh ann ag méileach is iad ag teacht abhaile ina dtréada
gach lá;
Tá an loiríocha[1] ag géimneach is iad ag cruinniú le chéile le bleán;
Tá an *kangaroo* i g*cage* ann, is an torc ag tabhairt aire don ál;
Tá an broc is tá an beár ann, is tá an eala ar bharr uisce ag snámh.

'Tá na cuacha gach am ann ag seinm de bharr na gcraobh;
Tá na cuasnóga meala ann go fairsing le fáil sa bhféar,
Tá ceiliúr chiúin cheolmhar ag na héanlaith ag gabháil thart ins an
tslí,
Is maidin chiúin cheolmhar go dtógfadh sé an brón de do chroí.

'Tá na giorriacha croíúil ag rince go moch leis an ngréin,
Is ar theacht don tráthnóna níl smúit ná scamall sa spéir;
Tá an bua aige ó Pháras is ón ngairdín a bhí ag Ádhamh agus
Éabh,
Is go mb'fhearr liom faoi chrá ann ná fíon Spáinneach i
ngleanntáin Mhám Éan.'

[1] loilíocha

AN DEORAÍ AS BAILE NA mBROGHACH

Seo dán deoraíochta ina dtaispeánann an Filí a uaigneas i ndiaidh an bhaile agus é á dhíbirt thar sáile le slí bheatha a bhaint amach. Tá dáiríreacht le mothú sa dán seo. Tuige nach mbeadh mar bhí ar an bhFilí, cosúil leis na mílte leis, Conamara a fhágáil agus greim a bhéil a shaothrú thar lear, mar nach raibh mórán oibre le fáil sa gceantar seo nuair a bhí sé ina fhear óg. Chruthaigh an imirce sin uaigneas do dhaoine óga i ndiaidh na háite inár rugadh agus inár tógadh iad. Chruthaigh an imirce sin, freisin, duairceas agus brón do mhná céile agus do chlann na bhfear pósta a raibh orthu iad a thréigint ar son an airgid a chaithfidís a shaothrú lena dtógáil.

Ó tógfaidh mé mo sheolta go haerach ar maidin
Is ní fheicfear arís go héag mé in Éirinn ghlais i mo sheasamh;
Ní fheicfear arís go héag mé ar an gcéibh a bhíodh mo tharraingt,
Ná ag an Spidéal ar an gcéilí, ag féile, ná ag bainis.

Céad slán le mo ghaolta a bheas ag caoineadh i mo dhiaidh sa mbaile,
Is mo chairde ar gach taobh dhíom — ná raibh mí-ádh ar bith ag baint leo.
Is anois beidh mé i ndíbirt ó mo thír is mo thalamh,
Ach bíodh mo bheannacht agaibh scríofa, a ghaolta i gConamara.

Nuair a smaoinímse i m'intinn ar an saol atá caite,
Is na hoícheanta deas geimhridh a bhínn go siamsúil i dteach an bhaile,
Tagann dólás ar mo chroí istigh is uaigneas ar m'aigne,
Mar is deacair dhomsa insint cén sórt saoil a bheas mé a chleachtadh.

Céad slán leis na gleannta 'tá i mBaile na mBroghach;
Is céad slán leis na gleanntáin 'ta taobh thall dhó, den abhainn,
Nó go dtriomaí an lánmhuir aniar ó Árainn isteach go Tamhain,
Ó, ní fheicfear arís ag snámh mé ins na srutháinte deas domhain.

Beidh ceol binn na n-éan ar na sléibhte faoi Cháisc,
Is an chuach ar na géaga fá spéir an lae bhreá,
Ach cé a gcónaíonn an té sin a chaith téarma san áit?
Ó, níl a fhios cén réigiún a bheas fear na Gaeilge le fáil.

Cé a chuirfeas na táirní i mo chonra is mé i gcéin,
Nó a leagfas an bhráilín ar mo chnámha is mé ag dul faoin gcré?
'S é d'iarrfainn anois de ghrásta, tríd an nádúr a rinne mé,
Ná m'anam a bheith sábháilte ar dheasláimh Mhic Dé.

Céad slán leis an nGaeltacht, an fíor-Ghaeilge go deo!
Ón Spidéal deas aerach go féar an Tí Móir,
Níl maith dom anois dhá shéanadh, 's é mo léan agus mo dhuifean
    bróin,
Mo chomrádaí, a Éire, is mé i bhfad i gcéin uait i mBaltimore.

MARCAS JÚIDÍN

Seo dán molta a chum an Filí faoi Mharcas Ó Cualáin a rugadh agus a tógadh i Leitir Calaidh agus a chuir faoi san áit a bhfuil Tigh Chualáin ar an gCathair. Bhí siopa agus teach tabhairne ag Marcas agus ag a bhean chéile, Mary Phádraig Eoin, go ndéana Dia grásta uirthi, agus is ann a bhíodh tarraingt mhuintir Bhaile na mBroghach agus na mbailte eile thart ansin. Bhí cáil ar Mharcas a bheith an-láidir, a bheith ina an-fhear oibre, agus chomh maith leis sin a bheith fíorghnaíúil lena lucht aitheantais. Tá sin agus tuilleadh ráite ag an bhFilí faoi.

Ó chuir mé spéis a bheith ag ceapadh véarsaí
  Níor mhol mé aon fhear i bhfoirm dáin
Nó go bhfuair mé léargas ar chroí na féile
  Is beidh páirt dhá thréartha i mo scéal ar ball.

Dá mbeinn i mo chléireach nó i m'ollamh léannta
  Go dtógfainn pléisiúr ag scríobh le peann,
Bheadh trácht in Éirinn ar an mbuachaill céanna
  Mar thabharfainn léacht air i bhfad níos fearr.

'S é Marcas Júidín an stáidfhear múinte —
  Fíorscoth na cúige sa tír ar fad
Le *fame* is le stuaim mhaith is lena fheabhas ina chomharsa
  Ón gcéad lá ar shiúil sé thrí Leitir Cal[1]

Más cóir a dúradh san áit a shiúilinns',
  Bíonn mil ar dhrúcht ann faoi gheoin na mbeach;
Tá an aimsir chiúin ann, gan ceo gan smúit ann,
  Is tá bláth na n-úll ann go humhal gach am.

Is nach mór é do cháilíocht i dtús na bpáipéar,
  Is nach deas an stair a bheas le do shaol —
Gach tír is gach státa ar chaith tú t'am ann
  Ón Daingean báite go dtí an domhan thiar?

[1] Leitir Calaidh

Is gach ar tharla ó bhís 'do pháiste
Tarraingeofar scathán air tar éis é a scríobh,
Ó íochtar Gharmna go cuan Chionn tSáile
Beidh caint is trácht air go brách arís t.

Nach óg a d'fhág tú do bhaile múirneach
Is thug tú an chuairt sin ar Newfoundland?
Níl áit dár thuirling do choisméig luafar
Nach raibh tú comhartha ann ar thogha na bhfear.

Níl áit dá ndeachaigh tú ná dár chuir tú fút ann
Nár ghrú[1] tú an chúig sin le cliú is le meas;
Ó uachtar Mheiriceá go cósta Chúba
Bhí Marcas Júidín i dtús gach cleas.

Is arís i Sasana ba tú an fear céanna
A sheasfadh d'Éireannaigh sa mbearna bhaoil —
Ó, bhainfeá ceart amach is dhéanfá réiteach,
Is ní thógfá bréag ann ná aon luach saothair.

Céad faraor dheacrach, 's é mo thrua nach bhféadaim
Do cheann a réiteach faoi choróin an Rí.
Bheadh tarraingt strainséaraí ar Bhóthar na Céibhe
Is bheadh ceart ag Éireannaigh níos fearr ná bhí.

A Mharcais chroí dheas, a' mbíonn tú ag smaoineamh
Ar na laethanta aoibhne i Leitir Móir,
Gach súgradh dá ndéantá i measc do mhuintir',
Is ar do bhaile dhílis is tú faoi bhláth na n-óg?

Ach d'imigh an saol sin agus scaip na daoine,
Ach tá an spiorad ins an taobh sin go bríomhar fós,
Is gurb é guimhe mo chroí dhuit de ló is d'oíche
Ná sláinte is saol agat i dtigh Phádraic Eoin.

[1] ghnothaigh

Dhá mbeinnse i m'Orféas, an ceoltóir Gréigeach
  A thug a chéile leis ar ais ón mbruíon,
Bheinn ag seinm dhuit thrí cheol na n-éanlaith'
  Ó éirí gréine nó go dtéadh sí faoi.

Bheadh caisleán *marble* agat ar thaobh an tsléibhe,
  Is gach lonradh ina éadan uaidh na péarlaí daor.
Ó, fágaim beannacht ag a bhfuil ag éisteacht
  Is mé ag críochnú an scéil leat, a Mharcais chroí.

AN tATHAIR MÍCHEÁL Ó GRÍOFA

Ba iad na Dúchrónaigh a chuir an tAthair Mícheál Ó Gríofa chun báis i mí na Samhna 1920. Bhí amhras acu féin agus ag na póilíní gurbh é a thug faoistean a bháis d'fhear a chuir na hÓglaigh chun báis go gairid roimhe sin de bharr a bheith ag spíodóireacht. I bpoll criathraigh, ó thuaidh de bhaile Bhearna, a fritheadh an tAthair Ó Gríofa agus piléar curtha trína cheann. Ba as paróiste an Ghoirt in oirthear Chontae na Gaillimhe é. Tá sé curtha le taobh Ard-Eaglais Bhaile Locha Riach. Tá leacht i mBearna ag an spota inár fritheadh é. Tá cur síos ag Tomás Bairéad ina leabhar Gan Baiste *ar an Athair Mícheál Ó Gríofa agus freisin ar an spíodóir Seoirse a' Phrionsa nó Gauger. De réir an chuntais sin, cuireadh an Gauger i lár an tsléibhe in aice le Loch na Tamhnaí Airde i bparóiste Mhaigh Cuilinn i lár na hoíche.*

Nach brónach mar 'tá mé is nach cráite iad mo smaointe,
  Is mo cheann cromta síos fúm ag dearcadh ar an bhfód,
Nuair a léigheanns mé na focla atá go follasach scríofa
  Ar an leic dhaingean bhríomhar anseo os mo chomhair.

Nach ins an ngleann fealltach seo a rinneadh an mí-ádh,
  Is beidh caint ar an ngníomh sin in Éirinn go deo.
Is ann a maraíodh an sagart, an tAthair Mícheál Ó Gríofa,
  Ar uair an mheán oíche, naoi gcéad déag agus scór.

A Dhia is a Chríosta, nach ba fuar fliuch an oíche í,
  Sinneán crua gaoithe ag ropadh roimhe ar an mbóthar,
Fuaim uaigneach na cíbe a chuirfeadh uamhain ar do chroí,
  'Gus néalta trom geimhridh os cionn Pholl na Cló.[1]

Níor fhág an drochaimsir na Dúchrónaigh suímneach —
  Ba dheacair, a dhaoine, fíorchosc a chur leo.
Bhí torann an airm le cloisint go bríomhar
  Ó cheann ceann na tíre seo d'oíche 'gus de ló.

Mar scaipeas na faolchoin trí státaí na Báltach,
  Nuair a ruaigeas an cál iad ag soláthar a lóin,
B'amhlaidh Dúchrónaigh in Éirinn an tráth sin,
  Ag creachadh gach áras, ag loscadh is ag dó.

[1] Poll na Cloiche

Chroch siad chun bealaigh thú, a shagairt, is a chléirigh,
Faoi dhuifean na spéire, is na héin ina suan;
Le piléar sea phléasc siad t'inchinn ó chéile.
'Gus d'fhága leat féin thú sa logán seo fúm.

Trí bliana dhuit féin a bheith i seirbhís Dé,
Chuaigh drochbheart i bhfeidhm le thú ruaigeadh den saol,
Ach le cúnamh Mhic Dé, 'chruthaigh Neamh agus spéir,
Tá t'anam geal gléigeal i bhFlaitheas na Naomh.

MÍCHEÁL BREATHNACH

Rugadh an Breathnach ar an Lochán Beag i bparóiste an Chnoic in 1881. Ceapadh ina leas-rúnaí é ar Chonradh na Gaeilge i Londain, 1901. Bhí sé ina Ard-Ollamh i gColáiste Chonnacht i dTuar Mhic Éadaigh i 1905, agus fuair sé post mar mhúinteoir Gaeilge i gColáiste Iarlatha i dTuaim i 1906, ach chaill sé a shláinte agus thug sé an Eilvéis air féin i ngeimhreadh na bliana sin. Ar an ochtú lá fichead de Dheireadh Fómhair 1908 fuair sé bás. Ar na leabhair a scríobh sé tá: Seilg i Measc na nAlp, *sraith altanna leis ón gClaidheamh Solais;* Stair na hÉireann, *duaisaiste Oireachtais;* Cnoc na nGabha, *aistriú ar* Knocknagow *le Charles Kickam.*

Chum an Breathnach roinnt filíochta freisin. Ar na dánta a chum sé tá 'An Deoraí', 'Bóthar na Trá', 'Conradh na Gaeilge', 'Tráth a dtiocfaidh an Samhraidh', 'Paidir na Máthar', 'Cumann Cosctha an Óil', agus 'Cúis na Gaeilge'.

Nuair a shiúilimse isteach i reilig Chois Fharraige,
Tá na sluaite mín marbh ina luí ann faoin bhfód.
Sa gcoirnéal thoir theas dhi is mian liomsa seasamh,
Os cionn mo laoch geanúil, Mícheál Breathnach go deo.

A fhíorscoth na huaisle, 's é mo thrua thú a bheith sínte,
Is nach suanmhar is nach cloíte mar chodlaíos tú an t-am.
Go dtiocfaidh Lá an tSléibhe, ní baol dhuit múscailt
Is ní fheicfear sa dúthaigh thú ar thuile nó ar thrá.

A phrionsa na Gaeilge, a mhic léinn, is a charaid,
An dtiocfaidh sa gceantar do shamhailse go héag,
Nó an seasfaidh i Scoil Shailearna an páiste nó an malrach
A thógfas do mhalraid, a scoláire thréan?

Tá tonntra na mara ag bualadh is ag clascairt,
I bhfoisceacht chúig acra de do leaba, a dhea-Ghaeil,
Ach céad faraor chrua dheacrach eisean nach n-airíonn
Fuaim torann na gcladaí ná tóirneach ón spéir.

Tá an bhearna seo fágtha gan líonadh sa náisiún
Ó tháinig an bás do do dhíbirt faoin gcré;
Tá Éireannaigh cráite is gan gair acu thú a fháil,
Is tá teanga Chríoch Fáil ón lá sin i léig.

Tá smúit ar Loch Measca is ar scoil Thuar Mhic Éadaigh;
  Níl éirim ná pléisiúr le fáil ins an áit.
Tá na hAlpa dobhrónach ar ghuaillí a chéile
  Ag súil leat go géar a theacht ina láthair.

Is nach fada an lá ó d'imigh tú uainn, a Mhicil?
  Is ó fágadh san Iarthar do chonra caol cláir,
Tá an saol anois athraithe i mbaile is i gcéin
  Is tá fuascailt ag Gaeil uaidh chrúba na nGall.

Ní airíonn tú torann na srutháinte ag gluaiseacht
  Le fána na gcnoc i do thír dhúchais féin;
Ní airíonn tú crónán na gaoithe ag séideadh;
  Ní airíonn tú géimneach na mbó ar an bhféar.

Ní fheiceann tú an sneachta ina luí ar na beanna
  Ná na héin ins an earrach ag ceiliúr go binn;
Ní mhothaíonn tú an nádúr ag titim ó phláinéad,
  Solas an lae ghil nó dorchadas oích'.

Is nuair nach bhfuil gair a'inn é a fheiceál sa mbóithrín
  Ag teacht don tráthnóna nó le éirí an lae,
Ó, cuirfimid beannacht le anam an leonlaoich,
  Is go bhfeicfear arís é ar dheasláimh Mhic Dé.

AN CLADACH DUBH

Caoineadh é seo ar iascairí as an gCloigeann, in aice an Chlocháin, a báthadh oíche stoirme i nDeireadh Fómhair 1927. Bhí an Filí ag spailpínteacht ar an Achréidh oíche na stoirme agus chum sé an dán seo nuair a tháinig sé abhaile. Foilsíodh cuid den dán seo in Tús an Phota *sa mbliain 1931.*

Ar chuala sibhse trácht, a dhaoine,
  Ar an stoirm shínte úd ar mhuir is ar thalamh,
A d'fhága éagmhais, buaireamh, agus caoineadh
  Gach aon lá choíchin aríst i gConamara?

I ndeireadh an fhómhair, san oích' Dé hAoine,
  Sea rinneadh an mísc ar shean is ar óg,
Is go bhfuil sé ráite ó bhéal na ndaoine
  Gur thriall sí an oích' sin as Meicsiceo.

A Dhia is a Chríosta, nár mhór an ní é,
  An méid sin daoine a bheith ar fán —
Mná agus páistí i gcaitheamh na hoíche,
  Mo léan, dhá gcaoineadh is gan iad le fáil!

Garla[1] dubhach ort féin, a mhórmhuir,
  Nach iomaí deoir ghlas a bhain tú astu!
A gcairdí ag iomradh ar na tonnta móra,
  A Dhia na Glóire, ar bheagán fascadh.

Ach ó tharla anois is go bhfuil siad éagtha,
  Is nach bhfuil aon éarnais acu ar an saol,
Guimhim leosan go Ríocht na Glóire,
  Is Dia dhá soilsiú go Flaithis na Naomh.

Bhí buachaillí ann — croíúil, siamsúil —
  A dhéanfadh gníomhartha le léim, 's le rith,
Is bhí fir dhá réir ann ba dheise béasa,
  Agus naonúr óigfhear as an gCladach Dubh.

[1] galar

Fear siúil nó an deoraí a théas thar sáile,
Is a fhágfas cuanta geala Inis Fóil[1],
Más i Meiriceá a luífeas a chnámha,
Sa nGearmáin, nó san Aifric Mhór,

Nach bhfágfaidh seanchas ina dhiaidh go brách ann,
An té a thóigfeas é le intinn ghéar,
An méid a bádh oích' an ghála
Is a gcnámha ag bánú anois faoin bhféar.

Nach mór é an intlíocht is an tuiscint cinn —
Nach fadbhreathnaitheach a bhí an seanfhear úd
A dúirt, 'Ná crochaigí na seolta láithreach,
Ná scaoiligí cábla, téad ná dorú?

'Ná fágaidh a[2] n-aithreacha in a[2] ndiaidh ná a[2] máithrín;
Ná fágaidh a[2] gcairde ná a[2] muintir féin,
Ach glacaidh suímreas[3] go dtí an lá amáireach,
Mar tá mé cinnte go bhfuil gála i gcéin.'

Is d'éalaigh an ghrian thart ins na spéartha,
'Gus chruinnigh réalta i dtús na hoích',
Chuaigh na héin chun suain le chéile,
Faoi bhun na ngéag is ar bharr na gcraobh.

Tháinig dorchadas ar fud na hÉireann,
Is ní chífeá léargas ar bith in do shlí,
Nó gur bhuail an stoirm sin le neart a séideadh
In aghaidh gach créatúir ar uachtar maidhm'.

A Rí na nGrásta, anois beidh siad báite,
Níl talamh in ann dóibh mura bhfuil ag Críost;
Le ardú farraige 'gus neart an ghála
Ní fheicfeá an bád a bheadh le do thaobh.

[1] Fáil [2] bhur [3] suaimhneas

Nach iomaí máthair bhocht a bhí buartha cráite,
  Ag siúl na trá dhi is ag dearcadh an chuain,
A mac nó a deartháirín nó a céile báite;
  Ní chloisfidh a gháirí ina chlúid níos mó.

Is don áit a ghnáthaíodar le linn a n-óige,
  Is a thóigfeadh an brón díobh gach maidin bhreá,
Ach faraor! thiteadar go hóg le chéile
  Is chuaigh scaipeadh géar orthu ar fud gach trá.

Ach tá deireadh an tseanchais is an chomhrá déanta,
  'Gus glóir is aoibhneas go bhfaighe gach Gael,
A chónaigh i nÉirinn ó am an chéadfhear,
  Is 'tá go suanmhar ina luí faoin bhféar.

AN BÁS

Is ar chóip de théip fuaime a rinneadh le cur chuig gaolta thar sáile a fuair mé an dán seo. I dtús na seascaidí a rinneadh an taifeadadh. (Tá an Filí ag fáil an-éisteacht ó na daoine atá bailithe i dteach cuarta sa bparóiste. Ba é Maidhc Phádraig Thaidhg Ó Conghaile, as an gCnoc, Fear an Tí an oíche úd). Smaointe na Críostaíochta faoin mbás san áit atá an Filí a chur os ár gcomhair sa dán seo.

Seo scéal atá mé a aithris a chloisfeas gach aon neach,
Is éistidh go léir idir fir agus mná,
Faoin mbás coscarach a chuirfeas den saol muid
'S a fhágfas gach éinne againn faoi dheireadh os cionn cláir.

A Thiarna, a d'fhulaing ar Chrann na Páise,
'S a dhóirt do chuid fola ar a[1] son go léir,
Soilsigh anois na hanama ina[2] láthair,
'S achainím ortsa le briathra mo bhéil.

Nach muid atá teann ar an saol seo féin
'S gan ionainn, mo léan, ach mar a bheadh ceo.
Ar ghluaiseacht don anam, gan filleadh le scéal,
Tiocfaidh fuacht ar an gcorp nach dtéifear go deo.

'S athróidh an snua is an lasadh ina[2] n-éadan
'S dúnfar a[1] súile ar theacht don bhás.
Stopfaidh a[1] gcuid cuisleacha gan bheith ag léimneach;
Stadfaidh a[1] gcuid gruaige gan a bheith ag fás.

Sínfear siar go domhain faoin bhfód muid,
Agus deireadh go deo a'inn le cúrsaí an tsaoil.
Ár gcoisméig ní aireor ag siúl an bhóthair,
'S beidh codladh sa ló orainn chomh maith leis an oích'.

'S an té is mó a bheadh saibhreas aige — mo bhrón —
'S a cheannódh caisleáin is taltaí mór,
A cheannódh loingis ar thonntra mara,
Coillte glasa is bailte mór;

[1] ár [2] inár

Dhá chéad bhaigín den ór gléigeal,
Dhá chéad bó ar thaltaí féarach,
Dhá chéad caora agus a gcuid uain in éineacht,
Dhá chéad capall is each i bhféarach;

Caisleán ríúil i ngairdín gleoite,
Lena chuid ballaí mín agus geataí óir,
Agus plúirín ag lonradh ina chuid seomraí breá,
Agus fleá agus féasta ann féin gach lá.

Gach bia dhá mhilse ar an mbord os a chomhair,
Idir miasa meala agus cannaí beoir.
An fíon dhá scaipeadh le meas ar an ól,
'S go gcuirfeadh suan ar an eascann le fonn gach ceoil.

Ó, tiocfaidh an bás faoina dhéint, más luath nó mall,
'S cóireor a leaba dhó i gconra chláir.
Beidh deireadh go deo lena chuid saibhreas is óir,
Lena chuid seoda luachmhara agus clársaí ceoil.

Is tabharfaidh sé an t-aonmhac óna mháthair
Is crochfaidh na haithreacha leis an gclann
Is cuirfidh faoi uisce loingis crua
'S ar mhuir is ar thalamh tá aige bua.

Tabharfaidh sé an seanduine leis, ár ndó',
Is tabharfaidh sé an páiste leis go hóg;
Den cheann críonna, bainfidh dhó a chiall,
Is tuirsiú a choisméig ní bhfuair sé ariamh.

Nach fada é a shaol ó aimsir Ádhaimh,
Ag treabhadh 's ag siúlóid leis gach am?
'S crua a láimh, gan smior gan cnáimh,
Ná an t-iarann sleamhain, mo léan!

'S luaithe an bás ag teacht i láthair
Ná an ghaoth chrua Mhárta féin,
Is géire a ghrua is radharc a bhua
Ná tinte te ón spéir.

Is crochfar 'un bealaigh muid, óg agus sean,
Ó líne go líne, fear agus bean,
'S go dtabharfaidh na héin ó bharr na gcrann
'S an breac a shnámhanns muir go mear.

LÁ AN BHREITHIÚNAIS

Cuntas ar a bhfuil roimh an duine Lá an Bhreithiúnais atá sa dán seo. I dtús na dtríochaidí a cumadh é agus is minic a hiarradh ar an bhFilí é a rá mar gur mhaith le daoine a bheith ag éisteacht lena chuntas ar an mbreithiúnas deiridh.

Is tiocfaidh Mac Mhuire lá an chuntais
  Le breithiúnas a thabhairt ar an saol,
Is lasfaidh an fharraige bhrónach,
  Is silfidh gach dlúthcharraig deoir.

Tiocfaidh scamall ar an ngealach is dubhóidh,
  Is dubhóidh na mórchnoic le ceo.
Nuair a shéidfeas an tAingeal an trumpa
  Beidh gach anam ina dhluthcholainn chóir.

'S nuair a aireor turas ár dTiarna
  Ag tuirlingt faoi ghlóir ón spéir,
Craithfidh an talamh fré chéile
  'S dubhóidh síorsholas na gréin'.

Staonfaidh na héin binn an ceol
  Is beidh deireadh lena nglór arís choíchin,
Is beidh deireadh le suáilcí 's só
  Go héag ar an ród sin aríst;

'S an domhan a bhí aoibhinn is álainn,
  Is na haibhneacha breá ag dul thríd;
Na srutháinte ag gluaiseacht le fána ann,
  'S na sléibhte fá fhraoch agus cíb;

An ghrian a threoródh sa ló sinn;
  An ghealach le solas na hoích'.
'S na daoine ag siúl ar na bánta
  Gan imní, gan smúit, ar a gcroí;

An talamh ar mheas tú, a Thiarna,
  Le sásamh a thabhairt dhúinne ina[1] mbeatha;
An t-uisce a thitfeadh ó spéarthaibh,
  Nach gcoiscfeadh sin a[2] gcuid tarta;

An coirce, an chruithneacht, 's an eorna
  An bheoir is mil na mbeach,
Nach deas mar a chaithfí gan bhrón iad,
  Ins na haoiseanna údaí a chuaigh thart;

An crann ba chumhartha bláth
  Is é ag eascadh le báisteach is le gréin;
Is na héin ag luí ar a cheann
  Ag dearcadh gach ceard den spéir;

Na ba ag siúl ar an bhfásach,
  B'aoibhinn agus b'ard é a ngéim;
An breac ar thóin uisce ag snámh
  Is é ag soláthar a lóin dó féin.

Nach muid a bhíodh cruógach san earrach
  Ag cur an tsíl mar is cóir,
Ag treabhadh agus ag fuirsigh na talún
  A cheap sinn a choinneodh sinn beo.

Ó tharla gur thug tú caint dhúinn,
  Maise agus áibhéil mhór,
Is ortsa anois a screadaim
  Muid a threorú trí ghleann na ndeor.

'S iad laethantaí fada an tsamhraidh
  Chuirfeadh slacht ar an maoin go léir,
Ag éirí dhúinn gach maidin
  Le ceol is le ceiliúr na n-éan,

[1] inár [2] ár

An bláth ag múscailt ar chrannaibh
  Is an drúcht go tiubh ar an bhféar,
Is glór taitneamhach na mbeachain
  Dhá mbrostú chum teas an lae.

Nuair a bhuailfeas gaoth an fhómhair an talamh,
  Tiocfaidh torann do shrutháinte is d'eas;
Tiocfaidh dath rua ar an raithneach,
  'S ea a éalós an ghrian uainn ó dheas.

Beidh na daoine an uair siúd go gnóthach,
  Idir páistí, fir agus mná,
Ag bailiú isteach chum an ghreimhridh,
  Mar an iora rua sa gcrann.

'S é 'n seanathair a mhill go leor fúinn,
  'S a thug muid ins na peacaí ar dtús,
Le easumhlaíocht don Athair Síoraí
  Sea fhliuch sé a bhéal leis an úll.

'S d'fhága sin muide ina[1] sclábhaíos[2]
  Ag saothrú a[3] ngreim go géar,
'S beatha ceaptha ó neamh dhúinn —
  Sin agus sonas is séan.

Smaoinigh ar an lá deiridh
  A bheas muid os comhair an Rí,
Breithiúnas crua a thabhairt ins na peacaí,
  Scanradh is faitíos ina[1] gcroí.

A Thiarna, éist le mo phaidir,
  'S ortsa a ghlaoim os ard,
Tabhair maitiúnas dhúinn ina[1] bpeacaí,
  Mar thugais dá[4] gcéadathair, Ádhamh.

[1] inár [2] sclábhaithe [3] ár [4] dár

Nach iomaí míle agus céad
  A bheas cruinnithe gan bhréig ansiúd,
'S an saol seo imithe go héag
  Mar a leáfadh an ghréin an drúcht.

Ní bheidh gáirí, magadh, ná éad ann,
  Gleo, sáinniú, ná brú.
Ach sinne i dteannta a chéile,
  'S an breitheamh ina sheasamh os a[1] gcomhair.

Beidh sagairt, is easpaig, is naoimh ann,
  Is ríte[2] nár rialaigh mar is cóir;
Beidh Aspail is deisceabail Chríost ann,
  Is Tiarnaí a bhí santach go leor;

Págánaigh, polaiteoirí, is Cróstaithe;
  Daoine a fuair bás leis an ól;
Daoine nár chomhlíon na haitheanta;
  Is treibhe[3] nár baisteadh go fóill;

Daoine a mhair gan caint
  'S a bhí ina mbalbháin ar an saol seo,
Daoine a bhí breoite ins an tsaint
  'S a d'fhág ina ndiaidh maoin shaolta;

Daoine a throid go calma
  Ar son a saoirse go géar,
Is daoine a rinne drochmharú
  Is gan trócaire ar bith ina mbéal.

Beidh mairnéalaigh is caiptíní loinge ann,
  'Chleacht farraigí is tonntracha mór,
Maighdeanaí, banríonaí, 's prionsaí,
  Iarlaí agus pápaí na Róimh'.

[1] ár [2] rithe [3] treibheacha

Beidh an chumhacht uilig caillte ag na huaisle ann,
'S ní gheobhaidh siad í go héag;
Beidh an fear bocht chomh neamhspleách le rí ann —
Sin briathar atá ráite gan bhréag —

Is na céadta dream eile nár luaigh mé
Is nach dtabharfadh anois air trácht.
Tá deireadh na cainte seo déanta,
Slán agus beannacht go brách.

AISÉIRÍ AN PHEACAIGH

Cuntas atá sa dán seo ar fhear, Máirtín Ó Ceallaigh, a fuair bás ar uair an mheáin oíche. Ag a naoi a chlog ar maidin, tháinig comharsa leis isteach le paidir a chur lena anam. Nuair a chuaigh an comharsa ar a ghlúine leis sin a dhéanamh, dhírigh an marbhán aniar chuige agus in áit faitíos a theacht ar an gcomharsa, is amhlaidh a ghlac sé misneach agus dúirt sé leis féin go gcuirfeadh sé caint agus caidéis ar an marbhán, agus go mbainfeadh sé caint as, agus as sin a tháinig an t-agallamh idir an comharsa agus an marbhán. Tá an tríú pearsa sa dán freisin, ar ndóigh, an glór ag geataí na bhFlaitheas.

An Comharsa:
Fógraím dea-chomharsanacht ar na mairbh
  Agus orthu seo atá beo atá ar bhóthar na bpeaca[1],
A Rí na Glóire a cheap neamh agus talamh,
  Tabhair dídean dóibh siúd atá ar siochrán[2] fada.

A Mháirtín chóir, a stór 's a charaid,
  In ainm an Uain nár thuill aon ghangaid,
Cé raibh do lóistín ón dó ar maidin,
  Nó cén fáth ar thóig tú an corp in athuair?

An Marbhán:
Cé raibh mo lóistínsa ón dó ar maidin,
  Nach buartha brónach í do cheist le freagairt?
Ríocht na glóire, óchón, ní fhacas,
  Is mé ag treoraíocht faoi lód na bpeaca.[1]

Tháinig ceo ar mo ghrua 's ar m'amharc,
  'S an anáil fhuar ghlan níor fhéad mé a tharraingt.
Stop mo chroí bocht, is d'éalaigh m'anam
  Ar lorg an eolais ar an mbóthar nár mhaith liom.

Ba in é an bóthar a bhí uaigneach aisteach,
  Agus ghluais mé romham air i mo chuaifeach faiteach.
Níl críochnú dhó sin, agus níl sé ag casadh,
  Mar níl aon torainn leis an tsíoraíocht fhada.

[1] bpeacaí   [2] seachrán

Nach mba mise an deoraí ar an mórmhuir gharbh,
  'S an bhreith le tabhairt orm nuair a bhuailfinn caladh.
Mar chaith mé an fómhar agus mo shaol ar thalamh,
  Is amhlaidh a chóireos Mac Dé mo leaba.

Ghluais sé romham ansiúd, mar a dúirt mé cheana,
  'S nach mba dubh an smúit a bhí ag clúdach m'anam.
Níl loch ná cuan i gConamara,
  Gleann ná cúinne, nár chaith mé tamall.

I ndeireadh na cúise, is mé múchta marbh
  Ag pianta móra nár chóir dom a aithris,
Las solas glórmhar os mo chomhair i m'aice,
  Agus labhair an glór, go deas ciúin i m'ainm.

Ba in é an briathar a thug bia do m'anam —
  An briathar a thóig mé ó bhró na marbh.
Ba in é an glór a thug sólás is fascadh
  Do na céadta romhamsa ar an saol seo cheana.

An Glór:
An tusa Máirtín, nó cé mbíonn do shuímreas,[1]
  Nach bhfuair tú bás gan an aithrí a dhéanamh?
Anois beidh tú caillte agus tú imithe choíchin uaim,
  Nuair nár thug tú spás dhom le mo láimh a shíneadh.

Nach bhfuair Críost bás le bhur slánú ón daoirse,
  'S nár fhulaing sé an pháis leis an gcorp a chlaonadh?
Ní raibh tusa láidir le go ndéanfá an gníomh sin,
  Ach bhí tú láidir lena ghrásta a shaothrú.

Smaoinigh, a Mháirtín, nach mbeadh sé daor leat,
  Mar thuig sé, agus tá 'fhios aige faoi chathuithe an tsaoil sin.
Dhá dtabharfá páirtíocht dhó gach lá i do smaointe,
  Bheadh maltraid[2] árais faoi bhráid a naomh a'd.

[1] suaimhneas [2] malairt

Ach ní mar sin a tharla do chás le n-inseacht
  Mar chaith tú t'am le fán is le mí-ádh;
An urnaí chráifeach níor chuir tú suim ann
  Is tú ag tathú na háite atá do cheann dhá chíoradh.

Ní hin é amháin é, ach shéan tú an saol seo;
  Is deacair slánú a chur ar fáil don ní sin,
Mar dhá bhfaighfeása spás, go brách ní smaoinfeá
Ar chruatan is meáchan na croise Dé hAoine.

Gan cabhair gan garda, nach teann a bhí tú
  Nó go dtáinig an bás sa ngleann go dtí thú.
Ó thit na lámha ina gcnámha síos leat
  Bhí do shraith ar lár agus an cháin le n-íoc a'd.

'S é mo thrua go brách agus mo bhuaireamh caointeach
  Thú a bheith ins na scálaí in aghaidh meáchan millteach,
Mar níor ghráigh do mháthair thú le práinn an tsaoil sin
  Ariamh chomh nádúrach agus ghráigh mo chroí-sa.

Anois, a Mháirtín, nuair a dhearcaim síos ort,
  Ó, caithfidh mé a rá leat, gan stáid gan staonadh,
Go raibh croí deas mánla in do bhrollach píosa
  A bhí an-chairdiúil leis an gcine daonna.

Bréag ná fealltanas ní raibh tú síos leis,
  Agus éad ná gáirsiúlacht ní bhfuair mé greim ort;
Ariamh i t'áras níor hairíodh dímheas,
  'S níor ghlac mé an ghráin ort de bharr drochghníomhartha.

Ó, tógaim láimh ins an mbearna bhaoil leat,
  Mar feicim an lánmhuir ag ardú aníos ort.
Ar ais, a ghrá geal, san bhfráma a bhí tú,
  'S tabhair cúiteamh is adhradh do Dhia a thug saor thú.

Ar ais, a Mháirtín, leat i lár do dhaoine,
  Agus fág mo dhea-chomhairle ag óg 's ag aosta.
Má chaitheann tú an t-am 's gan an aithrí a dhéanamh,
  Ó, beidh tú mall, agus t'uaigh dhá líonadh.

AR AGHAIDH

Seo dán atá dírithe ar dhaoine a spreagadh le dul ar na misiúin. Léiríonn sé creideamh láidir an Fhilí nuair a fheiceann sé saol gearr an duine agus an tábhacht atá, dar leis, gníomh a dhéanamh ar son an té a chruthaigh muid agus gur ag sábháilt anamacha ó thuaidh agus ó dheas ab fhearr a d'oibreodh duine i seirbhís Dé.

A ógánaigh mheidhreacha, bíodh foighid agaibh tamall
Is dearcaigh ar aghaidh, nó céard sin ag gabháil tharainn?
Tá an aimsir ag éalú ón Luan go dtí an Satharn,
Is an oíche atá sa láthair ann ní bheidh fáil uirthi ar maidin.

Is nach beag é a[1] léas ar an saol seo anois, faraor!
Is i bhfochair a chéile ní bheidh muid aon achar,
Ach cén dochar é dhá n-éagfadh muid cheana,
Nach bhfaighidh muid ríocht Dé ach a bheith réidh lena ghlacadh.

Nuair a bheas duine aosta is é cloíte le brón,
Cén t-ionadh a chuid súl a bheith ag sileadh na ndeor,
Nuair a smaoineoidh sé ina aigne ar an tráth bhí sé óg
Is ar na laethanta a chaith sé deas siamsúil go leor?

Tá sé anois sínte chois teallaigh gach lá,
É ídithe le aois is an saol seo dhá chrá.
B'fhéidir go mbíogfadh a chroí istigh ina lár,
Má rinne sé gníomh maith ó bhí sé ag fás.

'S é an gníomh a dhearcas sé féin ann ansiúd,
Is mar 'dúras-sa cheana is é caite sa gclúid:
An ndearna sé tada ar son an Té a chrú[2]
Nó ar tharraing sé a chlaimhe chun anamnachaí a ghrú[3]?

Níl tráithnín dá bhfásann nach gcríonann a bharr,
Is le cruatan an gheimhridh sea íslíonn sé a cheann;
Tá sinn mar an gcéanna — cé gur géar liom é a rá —
Ag gluaiseacht in éineacht nuair a chaithfeas muid an t-am.

[1] ár [2] chruthaigh [3] ghnothú

Anois tá sibh óg faoi dhóchas, faoi mhisneach,
Gan mairg, gan brón, gan dólás, gan tuirse;
Smaoinidh ar Chríost agus iompraígí a[1] chulaith,
Is beidh sibh in bhur laochraí is in a[1] ngaiscíocha aige.

Tá a[1] gcúnamh ag teastáil ó thuaidh 'gus ó dheas
Le iad seo atá gan an creideamh a chur ar a leas;
'Sna réigiúnaí coimhthíocha san Aifric ó dheas,
Tá na págánaigh ag blaoch oraibh theacht ina measc.

Iad a fhágáil ar deireadh, nárbh in é an feall,
Gan solas an chreidimh faoi dheireadh thiar thall?
Brostaígí oraibh agus leigheasaidh a gcás,
Is cúiteoidh Mac Dé libh an méid sin ar ball.

Ná tréigidh bhur n-intinn bhreá uasal go héag,
Go ndúnfar a[1] súile is go dté sibh faoin gcré;
Os comhair an Athar Síoraí ná bíodh sé le léamh
Gur chaith sibh an fómhar is nár bhain sibh an féar.

[1] bhur

LÁ NA FOLA

Seo an chéad cheann de dhá thairngreacht filíochta atá sa gcnuasach seo. Cumadh an dán roinnt blianta roimh an dara cogadh mór. Léiríonn an dán seo dáiríreacht an fhile faoina ábhar cainte. Is maith mar a chuireann sé síos ar an bhfaitíos a bhí ar an gcine daonna roimh chogadh, ar shaint na náisiún i gcumhacht agus ar a n-easpa suime sa duine, ar thábhacht agus ar bhuaineadas ríocht Dé. Tá leaganacha éagsúla den dán seo ar fáil, ach tuigim gurb é an file féin a rinne na hathruithe de réir mar a bhí éileamh ar an dán, bhíodh sé á rá agus á athrú de réir mar a cheap sé a bheith feiliúnach.

Nach feasach muid uilig, a cháirde,
  Go bhfuil lá na fola ag teacht!
Is faoi chomhair an dúnmharú cráite
  Tá gach náisiún ag feistiú i gceart.
Mo bhrón! nuair a thiocfas an lá sin,
  Nach iomaí fear breá a bheas i bpian
Is a labhrós na focail go dána:
  'Is é mo chrá má rugadh mé ariamh.'

A dheartháireacha óga na páirte,
  Tá an lá sin anois i ngar dhúinn
Nuair a thitfeas na mílte ar bhánta
  Is a gcuid fola ina srutháinte fúthub,
Más fíor don ídiú atá geallta.
  Ó! b'fhearr dúinn a bheith cheana san uaigh
Ná ár gcroíthe a bheith lag spíonta ina[1] lár,
  Ag eiteall le eagla agus uamhain.

Nuair a bhuailfeas clog cogaidh na Fraince,
  Agus cloisfear a scread leis an ngaoth,
Beidh síochán na hEorpa scaipthe,
  Is gach tír ag cur airm i gcaoi
Ó! A Chríost, anois cá bhfuil na fearaibh?
  Dearcaidís suas go Ríocht Dé;
Tá téarma a bhformhór caite,
  Tá an bás is é ag teacht faoina ndéint.

[1] inár

Nach bródúil mar bhreathnaíos tú, a Phárais,
  Gach maidin chiúin álainn gan smúit?
Féach ar na fuinneoga arda,
  Is na páistí ag súgradh thíos fúthub.
Féach ar na daoine ag siúl sráide,
  Gan faitíos gan eagla ag baint leo,
Gan cuimre[1] ar an aimsir a tharlós,
  Is a fhágfas a gcnámha faoin bhfód.

Céard é seo in uachtar an pháipéir,
  A bhfuil creathadh i do láimh is tú á léamh?
Cogadh agus dúnmharú cráite —
  Anois tá gach náisiún faoi réir.
Mar phléascadh scail toirnigh lá fómhair,
  Nó tonn millteach cumhachtach ar thrá,
Is ea phléascfas an cogadh san Eoraip
  Agus beidh sí lag lúbach dhá bharr.

Féach ar na loingisí fada
  Is iad ag teacht ina scata ins an spéir!
Féach orthub anois is iad ag ísliú,
  Deis marú 'gus leagain, gan bhréag;
Féach orthub anois is iad ag ísliú,
  Ar na cathracha a déanadh le stuaim.
Cén fáth iad ag déanamh an ghnímh sin?
  Ó! creachadh go cinnte atá fúthub.

Féach orthub anois is iad ag doirteadh
  Pléascáin ina scórtha ar gach sráid;
Féach ar na cúirteanna móra
  Dhá bhfágáil, mo bhrón géar, ar lár!
Féach ar an talamh ag preabadh!
  Féach ar an deatach trom tiubh!
Agus éist leis an torann géar creathach
  Mar 'phléascfadh na mílte plump!

[1] cuimhne

Féach ar na lasracha dearg!
Beidh an baile ar ball ina luaithe,
Agus éist leis an bhfothramán aisteach!
Ó, a Dhia, tá na tithe anuas!
Féach ar na calafoirt bhríomhar —
Nár dhaingean an ghing iad lá?
Fan go mbeidh an deatach seo díbrithe[1],
Is beidh leachta gan déanamh ar an áth.

Féach ar na hógánaigh scanraithe,
Is iad ag rith lena n-anam ón bpian!
Féach ar na seandaoine craiplithe
Is iad ag guimhe[2] ar an leaba ar a ndícheall!
Féach ar na máithreacha básaithe
Ar an tsráid is ar an teallach, mo léan!
Agus féach ar na páistí óg fágtha —
Ina ndíleachtaí creachta go héag.

Tabharfaidh mé aghaidh go dobhrónach
Ar na trinsí ar chúl na gcnoc,
Is feicfidh mé sluaite fear leonta
Is go leor acu plúchta sa bhfuil.
Níl leigheas ar a n-anó a'm, faraor;
Cloisim a scread is a mblao.
Ó, is deacair an aicíd a sheasamh,
Is boladh gail nimhnigh sa ngaoth.

A Mhuire, nach millteach an sléacht é!
Dearc ar na céadta ar lár,
Is na míoltóga ag luí ar a n-éadan,
A bhí lá de na laethanta faoi bhláth.
An sruth saolta a bhí ina lámha
Is ag rith le gach ball díobh inné,
Tá seisean ag sileadh le fána
Is é sloigthe go mall faoin gcré.

[1] díbeartha [2] guí

Féach ar na marbháin fuara —
Nach buartha is nach cráite é an bás?
Iad stróicthe ó íochtar go huachtar,
'S nach iomaí fear crua gan ceann?
A bhformhór seo a fheicimse sínte,
Chleachtaídís slí agus só.
Cén fáth iad ag tréigint an tsiamsa?
Is rún é nach dtuigfear go deo.

Cloisim an Maxim ag gnúsacht,
Ag cur luaidhe ina mhúr uaidh amach,
Is airím ag screadadh an Lewis —
Nach minic a ghnóthaigh sé i gcath!
Ó! fágfaidh mé an áit seo, má fhéadaim,
Agus treabhfaidh mé an réimse seo romham,
Agus fágfaidh mé slán ag na tréanfhir
Nach siúlfaidh an féar go lá an Luain.

Imeoidh mé síos tríd an Eadáil,
Is breathnóidh mé treasna an Mhuir Mheáin.
Ó! feicim na héin ag dul tharam
'S ag déanamh ar an talamh le scáth.
Cloisim an seabhrán go bríomhar
'S gan é i bhfoisceacht na mílte dhom —
Uaill ón *torpedo* go cinnte
'S é ag bualadh in aghaidh taobh na long.

Cé leis na carranna airm
Atá ar a mbealach anoir thríd an toinn?
A bhfuil a fhios istigh i Moscow cárb as iad,
Is cá gcuirfidh gach ceann acu faoi?
Aireachas t'anama, a Rúisigh!
Ní thusa a bheas cumhachtach go brách,
Mar tuileann tú an loscadh 's an plúchadh
A fuair Sodom na drúise lá.

Ar an taobh deas dhom is mé i mo sheasamh
Tá Gib[1] is í ag tafann go hard.
Nár dhaingean an charraig í tamall?
Beidh deireadh a cuid graithí ar fáil —
Anois tá a cuid gunnaí ag pléascadh,
A cuid piléar go tréan ins gach taobh.
Cloisim an crónán ón b*plane,*
Dhá hionsaí ón spéir atá sí.

Sin deatach ag éirí in airde
San áit atá an t-ár ar siúl.
Is nach iomaí long a bheas báite
Ó Mhálta síos go dtí an Suez?
Beidh an Bhreatain mhór chumhachtach ag réabadh
'S a cuid soithí go tréan ag caitheamh;
Beidh a himpireacht i gcontúirt go géar,
Ach chonaic sí laethanta maith'.

Cá ndeachaigh na saighdiúirí dána
A bhí ag troid ins an ngleann siúd thiar?
Ó! beidh siad ansiúd is iad básaithe
Is a gcuid cnámh á lomadh ag an bhfiach.
Nach fada óna dteaghlach a d'éag siad,
Is a fágadh iad féin ar lár?
Ní fheicfear ag teacht go lá an tSléibhe iad
As na réigiúin ar tugadh an t-ár.

Nuair a ghlacfas na náisiúin a suímreas,[2]
'S nuair a shocrós an saol mar is cóir;
Nuair a bheas deireadh le plá ins na ríochta,
Is dá dtrian de na daoine faoin bhfód,
Ó, cloisfear an bhean bhocht ag béiceach,
'S a croí istigh á réabadh le cumha,
Ag caoineadh i ndiaidh clainne is céile
A leagadh, mo léan géar, ansiúd.

[1] Giobraltar
[2] suaimhneas

AN TREAS COGADH DOMHANDA

Faitíos roimh an tríú cogadh domhanda a spreag an Filí an píosa fada filíochta seo a chur i ndiaidh a chéile. Tá sé freisin ag iarraidh orainn ár n-anam a réiteach roimh lá seo an uafáis.

A Chríostaithe na cruinne, éistidh
Is dúisidh ó néal gan mhoill,
Is tugaidh fá deara, más léir dhaoibh,
An duifean sa spéir sin thoir.

Beidh an stoirm go láidir ag séideadh,
Is ní bheidh foscadh dá réir ag an long.
Is mura gcabhraí Muire is Flaitheas Dé linn,
Beidh muid go léir faoin tonn.

Ó thús gach aimsir' níor thárla —
Níor tháinig an cás chomh crua,
Is níor tháinig an mí-ádh ar náisiúin
Mar a bheas orthu i lár na huair'.

Cá bhfuil a[1] ndóchas is a[1] ngarda
A[1] gcaraid ó Mháirt go Luan?
Nó cá bhfuil an té a thógfas lámh linn
Is a thabharfas sinn slán 'un cuain?

An urnaí, an urnaí, a chairde,
Níor chlis sí sa ngábh ariamh.
Ó, 's í a dhéananns a[1] n-anam a shábháil,
Is a chuireanns an t-ádh ina[2] dtriall.

'S í an eochair i ndoras na ngrást í,
I dtosach, i lár, is i gcríoch;
'S í a choinníonns ar gcúl uainn an námhaid,
Is a cheanglaíonns a[1] ngrá le Dia.

[1] ár [2] inár

'Iarr agus gheobhais an ní sin,
  Nach muiníneach, fial é an glór?
Is nach mairg nach ndéanann air smaoineamh,
  I ndíobháil, i gcroí, is i mbrón?

Nach mairg nach ndéanann air smaoineamh?
  Mo Thiarna atá fírinneach, cóir,
Ná tréig sinn in aimsir a[1] mbaola,
  Ach iompaigh t'aghaidh naofa in ár dtreo.

Dearc síos ar an bpláinéad seo, a Íosa,
  Le grásta do chroí agus le cion.
An phláinéid a gabhadh ón Spiorad Naomh thú,
  Is ar leag tú do shaol ar a[1] son;

An phláinéid a ghráigh tú le dílseacht,
  Is a cheannaís go daor ar an gcroich;
An phláinéid a thug tú glan saor leat,
  Uaidh[2] dhamhnaíocht síoraí agus ón olc.

Glac trua dhúinn san am atá láithreach,
  Is thrí na laethanta nár tháinig go fóill;
Glac trua is tabhair solas do státfhir,
  Atá ag rialú na náisiún sa gceo.

Is a'dsa atá an chumhacht, a Dhia láidir,
  Is tú a thuigeanns a[1] gcás 's a[1] mbrón.
Nach bhfaca tú a[1] dtréartha[3] sa nádúr,
  Is tú ag guimhe sa ngairdín fadó?

Is mealltar an duine bocht simplí
  Ar an saol seo ó am go ham,
Is cailleann sé a anam is a chiall,
  Gan leanúint den ní atá ceart.

[1] ár   [2] ó   [3] tréithe

Tá cathú i ndiaidh intleacht na smaointe —
Ó! is minic a níonn sé creach —
Ach labhair le do Dhia agus ní baol dhuit,
Is rachaidh tú saor uaidh[1] an gcath.

Tá dhá chontúirt baolach ag bagairt
Ar éadan an domhain seo faoi láthair:
Cogadh 'gus loscadh gnímh adamhach
A fhágfas gach aon ní ar lár.

Is an dara ní eile is measa:
Tá gach creideamh ag fáil lag is ag leámh[2],
Is ceannairí tíre ag ceapadh
Go gceansóidh siad aimsir is spás.

Má thosaíonn an treas cogadh domhanda —
Ó, níor mhaith liom go bhfeicfinn an lá —
B'fhearr liom a bheith sínte sa talamh
Ná i mo sheasamh i measc fianaise ann,

Má chuirtear in úsáid gach arm
Atá i bhfalach fá chnoc is i ngleann,
Mar ní chuirtear an cruach ins an gclaimhe[3]
Ach le clampar a bhaint as an lann.

Seo chugaibh mar a tharlós an éagmhais,
Tráth a bhuailfear go héasca an uair,
Beidh an adamhach marfach pléasctha,
Is é ag tarraingt an aeir anuas.

Beidh an chathair ina tine ón gcéadchath
Is í ag titim ó chéile ina luaithe;
Síocháin na cruinne is an réiteach,
Ní chleachtfaidh tú é níos mó.

[1] ó [2] leá [3] claíomh

Is mo thruasa na dochtúirí léannta
  A bheas suas in aghaidh éag' agus plá,
Gan gair acu fóirthint don té sin —
  Ní bheidh leigheas ar an éagaoin le fáil.

An dtuigeann tú feasta cén scéal é,
  Nó an bhfeiceann tú an réasún is cén fáth?
Beidh gach duilliúr ag meath is ag tréiscint,
  Is an nádúr sa spéir ag fáil bháis.

Nach truaíoch an t-iontas le féachaint,
  Imeacht na n-éanlaith as gach tír.
Ní chífidh tú feasta ar na géaga iad,
  Is ní chloisfir sa spéir a nglór binn.

Ó, leanfaidh na hainmhithe an léanscrios,
  Is rachaidh gach aon ní síos,
Is beidh an duine ina philéar gan éifeacht,
  Nó go dtitfidh sé féin ins an mísc.

An gcloiseanns[1] na stoirimí láidir,
  A bheas ag gearradh go hard thríd an spéir
Ag iarraidh a bheith ag cneasú na háite
  A bhí ceaptha don phlá ó láimh Dé?

An bhfeiceann tú titim na báistí,
  Is í ag marú gach bláth ar an bhfréim[2]?
Ins an gceantar sin eile taobh thall dhuit,
  Beidh sí ag teacht ina srutháinte tréan.

Is, a dhuine, cé bhfaighidh tú an dídean
  Nó foscadh i do chroí uaidh an olc?
Beidh saigheada ón raidió-gníomhach[3],
  Ag gearradh thrí bhríce is cloch.

[1] An gcloiseann tú   [2] bhfréamh   [3]radaighníomhaíocht

Is cuma i do luí ná i do shuí thú,
  Beidh deireadh do shaoil istigh,
Beidh an nimh ina deannach i do thimpeall,
  Is í ag teacht leis an ngaoth ina cith.

Beidh an lá tite anuas ina chalm,
  Beidh smúit ar an talamh agus ceo.
Beidh deireadh le torann an *atom*,
  Beidh an spéir san am sin ag dó.

Is ina dhiaidh sin sea a scaipfeas gach garla[1],
  Nár facthas ar thalamh ariamh fós,
Is inseoidh do chroí dhuit is t-aigne,
  Go bhfuil críoch le do shláinte is tú beo.

Is ansin beidh tú in aimhréidh sa saol seo,
  Ar nós a mbeadh líon ar an trá,
Is a mbeadh salachar gainimhe agus maoilmhuir,
  Ag líonadh dhá dtrian dhá cuid snáth'.

Is cosúil le long thú a bheadh scaoilte
  Ar an teiscinne baolach á bá,
Dhá bualadh in aghaidh stoirm' is gaoithe,
  Is gan stiúrthóir ar a cíle le fáil.

Is mheas tú go raibh tú an-láidir,
  Is tú ar lorg na bpláinéid ó thuaidh,
Is go dtóigfeá seilbh ar spás,
  Ar aimsir, ar am, is ar uair.

Ach cogar an ní atá mé a rá leat,
  Is a bheas crochta go hard os do chomhair,
A bhfuil síocháin is creideamh dhá áireamh
  San áras a rugadh ann thú?

[1] galar

Smaoinigh go gcaillfidh tú an cúrsa
  I ndeireadh na cúise thiar
Mara dtóigfis do Dhia ar do shiúl leat,
  I t'aigne, i do rún, is in do bhriathar.

Mara ndéanfaidh tú cleachtadh níos cúramaí
  Ar na níonna[1] atá riachtanach fíor,
Ó, titfidh do chaisleán ina smúdar
  Mar caillfidh tú cúnamh an Spioraid Naoimh.

Caillfidh tú an cúnamh is an t-eolas
  Uaidh[2] a mbeoichte[3] nach bhfeiceann do shúil
Is ní bheidh solas uaidh[2] an taobh sin do do threorú
  Ar chosán na glóire níos mó.

Is beidh tú i do gheilt fán drochtheagasc,
  Is na bealaí dubh, anróiteach romhat.
Is, a chladhaire, anois cá bhfuil do phaidir,
  A chuirfeadh gach ain-sprid ar gcúl?

A Mhuire, a chriostal na suáilcí,
  A Mhaighdean, a gineadh gan smál,
An gcloisinns[4] ár n-osna san uaigneas?
  Do chúnamh is do chabhair ina[5] láimh.

Nach tusa a[6] gcaraid 's a[6] gcúmhdach,
  A[6] gcúnamh go buan ins gach gábh?
Dá bhrí sin, a Mháire, ná diúltaigh,
  Ach tóig sinn go ciúin faoi do láimh.

A bheoichte[3] na mbeo is an tsolais,
  A phrionsa gach domhan is gach ríocht,
Bunú gach intleacht is gach eolas,
  Tús agus deireadh gach saol,

[1] nithe [2] ó [3] beocht
[4] An gcloiseann tú [5] inár [6] ár

Glac trua dhúinn in aimsir a[1] mbuaireamh,
'S gach cruatan dhá rachas muid thríd;
Cuir cosc leis an olc atá ag brú linn,
Ó, tabhair síocháin don domhan, a Spioraid Naoimh.

Is, a charaid, déan cleachtadh ar an bpaidir,
I dteampall, i mbaile, is i ndeois',
Mar smaoinigh go dtreoróidh sí t'anam
Uaidh[2] shiochrán[3] na farraige fós.

Scaip siar do chuid smaointe ar Lepanto —
Míorúilt an achrainn is an ghleo —
Nach raibh an choinneal á múchadh san gcath sin,
Nó gur las sí le paidir is le deoir.

Caith siar do chuid smaointe ar ár dTiarna,
An oíche dheireanach fá dhuilliúr na gcrann,
Nárbh í an urnaí a bheatha is a chaomhúint,
Tar éis go mba fíor-Dhia a bhí ann.

Is achainím ortsa, dá bhrí sin,
Bí cúramach choíchin faoi do láimh,
Mar, smaoinigh, a chomrádaí dhílis,
Go bhfuil an chontúirt i do thimpeall gach lá.

Ár nAthair atá ag cumhdach an anam,
Go naofar t'ainm go buan,
Go ndéanfar do thoil ar an talamh,
Ar Neamh, is i ngach áit dá mbíonn tú.

Tabhair dhúinn inniu ár n-arán laethúil,
Mar 'mhaitheanns muid dhá chéile, maith dhúinn;
In aimsir a[1] gcathuithe ná tréig sinn,
Ach saor sinn uaidh[1] éad is ón drochrún.

[1] ár   [2] Ó   [3] sheachrán

’S é do bheatha, a Mhuire na nGrást,
Tá an Tiarna lánsásta le do thoil.
Nach beannaithe thú thar na mná,
Is nach beannaithe é toradh do bhroinn’.

Féach orainn, a Naoimh Mhuire Mháthair,
Le cion is le grásta Mhic Dé,
Guimh orainn san am atá i láthair,
Is ar uair a[1] mbáis, Ámén.

[1] ár

AN BHEOICHTE

An bheocht atá sa duine, san ainmhí, agus sa bplanda atá smaointe an Fhile a leanacht ar chosán na beatha. Is sa gcreideamh a fheiceann sé fuascailt ar dheacrachtaí an duine ar an saol seo.

Nach iomaí sin beoichte[1] atá i bhfalach,
  Gan iontu ach scamall is cré,
A thabharfas dhuit taispeánadh is feasa,
  Ach ná mealladh aon bheoichte tú ach é.

Eisean a chruinníonns gach beoichte
  Is a cheapanns gach beoichte dá réir
Nó go rachais isteach thar a theorainn
  Ní fheicfidh tú a ghlóire ná é.

Tabhair aire do bheoichte na fola
  Is tógfaidh sí sprid théis do bháis,
Is codlóidh sí in uaigneas na cruinne
  Nó go ndúiseoidh a sholas í lá.

Glan í le dóchas is le creideamh,
  Síocháin an linbh is grá,
Is an urnaí i gcónaí ina choinne
  'S é tús agus deireadh gach am.

Smaoinigh ar do chorp mar an gcéanna;
  'S é a iompraíonns síol toradh do bháis.
Smaoinigh go ndéanann sé goineadh —
  Thrí ghuimhe ní féidir leis fás.

Bronntanas síoraí é an creideamh —
  Níl péarla níos daoire le fáil —
Má chuireann tú t'anáil ina choinne,
  Ar ais léi níos glaine is níos fearr.

[1] beocht

Ná hiontaigh do dhroim leis an adhmad
  A bhí suas lena chnámha fadó
'Gus saothróidh tú toradh uaidh[1] an gcrann sin,
  Ó uachtar a bhláth' go dtí an fód.

An dtuigeann tú mé, a pháiste,
  Nó an bhfuil orm é a rá faoi dhó,
Gur deireadh gach aois a bás,
  Is deireadh gach fásach dó?

Ceangail do long ina caladh
  Is tóigfidh sí an foscadh a bheas buan;
Tá stoirm ag teacht ar an mbealach
  A ghearrfas an t-ancaire fúithi.

Ceangail do theampall in' ainm —
  Ná fág é ar nós leachta gan stuaim —
Ná tréig ar do bhealach an phaidir,
  Óir leigheasann sí gangaid is brón.

Is an dtóigfidh tú sampla uaidh[1] an éan
  Go héadrom ar bharr na dtonn,
Nach n-aireoidh sé an stoirm i gcéin
  Is ag bagairt ins an spéir taobh amuigh?

An t-ainmhí, an chuileog, is an phéist,
  Buaite de réir a thoil,
An t-olc is an mhaith trí na chéile
  Ceaptha dá réir, mar sin.

Má chuireann tú milleán ar fáil dhom,
  Nach n-ordaím an lá a bheas ciúin;
Smaoinigh gurb in é ab fhearr liom,
  Ach tá garda ar an mbearna romham.

[1] ó

An bhfeiceann tú crostaíocht na náisiún
Ag ullmhú chum ár is brón,
Nó an bhfeiceann tú an deatach trom scáfar
Ag bagairt sa ngleann sin romhat?

Mar tá tú sea bhí tú, sea a luíonns tú,
Faoi chúram na fola gan rath,
Tráth bhuaileanns tú uachtar an uisce,
Síos leat go grinneall ar ais.

Tráth a thóigfeas tú seilbh le oilbhéas,
Le cruatan, le éad, is le creach,
Tóig toradh do ghníomhartha ar do ghrua leat
Ar ais ins an uaigh gan aon rath.

Is measa thú ná lochán na n-éanlaith —
Gan toradh, gan fréim[1], gan sú.
Ní rachaidh tú síos ins an gcré
Nó go nglanfadh an chré sin thú.

Is ní rachaidh tú amach as an spéir
Nó go dtitfeá lá éigin i do dhrúcht,
Ach fanaís mar sin i do chréatúr
In do luí san dá éag go buan.

Ná troisc leis an olc is tú i ngéibheann
Mar is olc i t'aghaidh féin an gníomh.
Ar thoradh do bhroinn ná déan éagóir —
Tabhair solas an lae dhó de shaol.

Smaoinigh ar do Dhia is ná tréig é
Trí phléisiúr is trí chruatan an tsaoil,
Mar san uaigneas tá seisean ag féachaint
Is ag dearcadh ar gach fréim[1] ó do chroí.

[1] fréamh

An bhfeiceann tú an leon ins an bhfásach,
 Nach olc is nach ard é a ghuth?
Nach múirneach mar 'thóigfidh sé a chlann
 Is go dtitfeadh sé i mbás ar a son?

Gach créatúr fá chúram an nádúir
 Dhá rialú gach am mar sin,
Ach, mo bhuaireamh, tá an duine bocht fágtha
 Agus é caite le fán taobh amuigh.

AN TARBH

Rinneadh an dán seo faoi tharbh a bhí ar thamhnach sléibhe suas ó Bhaile na mBroghach. Cuireadh suim mhór sa dán seo de bharr na háibhéile a bhí déanta ag an bhFilí faoi airm éagsúla a bhí ag an dream a bhí ag marú an tairbh. Thaitnigh sé le daoine freisin gur cuireadh an tarbh seo i gcomparáid leis an tarbh a bhí i gCúige Uladh, agus a raibh súil ag Méabh, Banríon Chonnacht, air. Cuireann an file laochas sa dán seo agus taispeánann sé gur laochra na fir seo atá curtha aige ina dhán ag marú an tairbh.

Má bhíonn tú ag spaisteoireacht sa taobh seo tíre
  Is má chastar choichín thú ag tigh Pheaits Sheáin Mhean,
Cuimhnigh ar an gcomhrá seo atá mé a dhéanamh
  Faoin tarbh a síneadh le neart na bhfear.

B'iúd é taca na Féile Bríde
  Is bhí an lá ar an gcaoi sin ag gabháil i bhfad
Nuair a fuair muid scéala ó fhear an tsléibhe
  A theacht le chéile ag marú an mhairt.

Nuair a fritheadh an fógra is nuair a cloiseadh an scéala,
  Chruinnigh le chéile na fearaibh maith,
Bhí an t-ord is an siséal ann, is an scian ba ghéire;
  Bhí an píce féir ann, an t-ord is an speal.

Bhí an lansa feistithe ann is é réitithe, géaraithe;
  Bhí an *dagger* géaraithe ann le faobhar maith;
Bhí an phiocóid ghobach ann leis na cnámha a phléascadh,
  Mar bhí an tua ró-éadrom le a bheith ag déanamh an ghraithe[1]

Bhí an *trenchknife* dearg ann a bhí ag Napoleon
  Is a d'fhág an leonfhear ina dhiaidh sa bhFrainc;
Bhí an claimhe[2] fada a bhí ag Goll Mac Móirne ann,
  Is bhí an mhiodach phóca ann a bhí ag Máirtín Frainc.

[1] ghnó [2] claíomh

Nuair a chonaic Máirtín[1] ag teacht na daoine
  Ó chlannaibh rí thug sé dóibh an svae;
Chuir sé fáilte romhab i lár an chíocra
  Nó gur socraíodh síos iad nó go bhfaighidís tae.

Leagadh bord anuas do thogha na tíre.
  Bhí fuisce dhá roinnt ann faoi chomhair an lae —
Bhí mil is bhí brandaí ann, bhí beoir is fíon ann,
  Is bhí gach bia dá mhilse ann dá gcuirfeá spéis.

D'éirigh na fearaibh tar éis an dinnéir
  Go ndéanfaidís smíochadh agus go bhfaighidís spóirt.
Dúisíodh an tarbh ag Loch na bhFoinsean
  Is leanadh síos é go dtí an Criathrach Mór.

Thug sé cor uathu isteach sa gciocra —
  Ba deacra é a chloímh[2] ann go mór ná an leon;
Bhí gach búir aige a chloisfí míle
  Agus cloiseadh ag síonaíl é ag Tigh Phádraig Eoin.

Ba mhó an chaint air ná tarbh Chuailnge
  A d'fhága[3] leonta na mílte fear
'S a tharraing éad idir Méadhbh is a céile
  Agus a scriosfadh Éire murach Conall Cear[4].

Ba mhó an aimiléis ins an tír é
  Ná an faolchú fiáin ná Adharca Geal',
Ná an torc oilbhéis a lean na fianna
  Is a thug bás do Dhiarmaid ar Shliabh na mBan.

[1] Máirtín Ó Loideáin an Chlochair   [2] a chloí   [3] A d'fhág
[4] Conall Cearnach

TURCAÍ NA CÉIBHE

Ba mhinic le imirt chártaí a bheith ar siúl sna bailte atá teorannach le Baile na mBroghadh. Oíche amháin tháinig triúr as Cor an Rón aniar ar an gCéibh Nua ag imirt chártaí in éineacht le muintir na háite abhus. Ba iad an triúr as Cor na Rón a ghnothaigh duais na hoíche, turcaí. Thug muintir Chor na Rón an turcaí leo abhaile agus fágadh muintir Chaoil Rua agus muintir Bhaile na mBroghach agus na mbailte eile thart ansin gan tada de bharr imirt na hoíche. Shocraigh siad go ndéanfaidís dán faoin imirt. Bhí an Filí mar chomhairleoir acu. Thagaidís le chéile i dteach cuarta agus phléidís amach píosaí a bhí cumtha ag chaon duine acu. Chuirtí na píosaí sin i gcead an Fhilí agus nuair a thugadh sé sin a bheannacht dhóibh ghlactaí leo le cur sa dán. Tá leagan den dán seo foilsithe in Ar Aghaidh, *Márta 1943, agus an t-ainm C. Ó Conghaile leis.*

Nach brónach an scéal atá againn ins na véarsaí
  Faoi turcaí na céibhe a ghnóthaigh Tom Mhicil Tom.
Chuaigh sé ins an scioból agus sháinnigh sé an créatúr
  Le go ndéanfadh sé féasta uirthi thiar ag an teach.

Bhí cúig feara fichead agus iad cruinnithe le chéile,
  Agus gach duine den mhéid sin ag faire ar a sheans,
Ach Maitiú, gan aimhreas, a chaill dhúinn an méid sin,
  Nuair a chaith sé deich spéireat in áit cuileata hairt.

Nach iontach an t-ádh a bhí ar na himreoirí bréige,
  Nuair a chuaigh siad go dtí an chéibh gur ghnóthaigh an mart,
Bhí Cóilín Tom Bhille agus Maitiú le chéile,
Ach ní ghrúfadh[1] Rí na Méaracán ar Tom Mhicil Tom.

Wireáladh go Gaillimh isteach ag[2] an *Railway,*
  Ag iarraidh deis éigin a d'iompródh í amach,
Ach fuair siad an cuntas fanacht go Céadaoin,
  Go raibh dhá injean traenach ag teacht as Belfast.

[1] ghnóthódh [2] chuig

Dhá bhfeicfeá ag dul thart iad an triúr acu in éineacht,
An píopa ina mbéal acu agus iad ag caitheamh tobac,
Scilling an chloch bhí siad 'íoc ar na *dates* ann,
Nach iomaí sin céad a chuaigh ina n-iogáin isteach.

Dá mbeifeá i do sheasamh ag ard Pháidín Shéamais,
Bhí síonaíl is béiceach ag an injean ag teacht,
Bhí *Windlass* i ndeireadh agus slabhraí dhá réir sin,
Cáblaí is téadracha agus cúnamh maith fear.

Ní raibh rópa ar an mbaile nach raibh cruinnithe le chéile,
Ba mhór leo ar aon chor a meáchan ar fad,
Ach 's iad pleainceanna 'Daly', bhí ag Tom Pháidín Shéamais,
A socraíodh le chéile, a chuir an turcaí isteach.

Ag dul siar ag tigh an tsagairt sea thosaigh sí ag léimneach.
Bhí Maitiú ina léine agus é i ngreim ina bab,
Bhí Cóilín in deireadh is é ag cuartú an bhéarlúch[1],
Agus cloiseadh go héasca í thuas ag Maam Cross.

Ag dul siar ag Ard Chleannsa[2] sea bhris sí an béarlúch[1];
Chuaigh sí don chéad léim agus d'iontaigh sí an veain;
Bhí a drioball le fána agus a cloigeann san aer thuas,
Is nach maith 'shaothraigh na créatúir dá cur ar an *track*.

Nuair a chas sí tigh Dic suas bhí maidneachán lae ann,
Bhí a gcuid putóga pléasctha le ocras agus tart.
Bhain siad an círín dhi agus d'ith siad go héasca é,
Ach murach an méid sin ní thiocfaidís as.

Nuair a chuaigh siad abhaile, chruinnigh na céadta ann
Anuas ó na sléibhte is aníos ó na Docks,
Bhí bádóirí is carraeraí, cúipéaraí is *tailors*,
Dhá tarraingt ó chéile tigh Tom Mhicil Tom.

[1] bhéalbhach [2] Ard Mhic Fhlanncha

'Óra,' a deir Máire, 'cé bhfuair tú an beithíoch éigéilí,
  Nó an *elephant* scéinneach é anall as Hang Kang?'
'Stop!' a deir Maitiú is ná bac leis an bhfeithideach,
  Agus inseoidh mé scéal dhuit nuair a scaipfeas an *gang*.

Tháinig an cuntas ó Rialtas na hÉireann —
  Éilíodh an scéal seo thuas ag an Lodge —
Go gcaithfí í a mheáchan i ngarraí na craenach,
  Is go gcaithfí í phléascadh le í a mheáchan ar fad.

Nuair a chuala na buachaillí caint ar an scéal sin,
  Chuadar ina héadan le tua agus le speal;
Bhí sceana agus *daggers* agus claimhtí ann géaraithe,
  Agus lansaí dhá réir sin dhá ropadh inti isteach.

Cheithre chéad déag méid a hiogáin leis féin,
  An piobán naoi gcéad is an cholainn bainte as;
Cheithre troithe déag bhí loirgní an éin,
  Is leath-thonna is céad a bhí an t-iogán is é glan.

Nuair a leagadh an cholainn isteach ins an gcraein,
  Chúig thonna dhéag a chroch sé den leac,
Cheithre chéad déag a bhí an cloigeann leis féin,
  Ach bhí gob air, gan bréag, chomh fada le Tom.

Tosaíodh dhá feannadh le éirí na gréine —
  Cruinníodh na céadta idir fear agus bean —
Tarraingníodh an clúmh dhi agus cuireadh le chéile é,
  Agus diúltaíodh crua géar ann roimh Chailleach na gCeann.

Hadhráileadh teainc le í thabhairt ag[1] an *station*,
  Bhí an tóir buille géar le go dtóigfeadh sé an seans,
Bhí scáth roimh na tincéaraí go gcuirfidís tréas air
  Is go ndófaidís a raibh d'éadach ó Chruimlinn go Lodge.

[1] chuig

Nuair a feannadh an craiceann dó anuas ina bhréidin,
Bhí seacht mbanlámh déag ar a bholg ar fad;
Timpeall a dhroma chúig troithe agus seacht bpéire,
Agus meas sibh, a Ghaela, nach saoirseodh sé leathar.

Tá an craiceann ag imeacht ó chóstaí na hÉireann,
'Gus thall ag Cion tSáile a chuirfear é amach.
Cuiridh beannacht agus slán anois leis an téagar
Agus críochnaigh an fhéile tigh Tom Mhicil Tom.

BÓTHAR AN LOCHÁIN

Dúirt an Filí gur scríobh sé an dán seo i 1932 nó i 1933. Ba é Tomás Ó Gráinne a bhí ina gheaingear ar an mbóthar. Ní raibh sé féin ná na fir oibre ag baint aon cheart dá chéile. Thosaigh an troid idir an Gráinneach agus iad féin nuair a thosaigh sé ag tabhairt a gcuid cártaí dóibh. B'éigean dó fios a chur ar na gardaí. Tháinig na gardaí agus scar siad an Gráinneach agus na fir oibre ó chéile. Bhí na fir ag iarraidh a dhul ag obair dá bhuíochas. hAthraíodh an Gráinneach ó Bhóthar an Locháin go dtí Bóthar an Phúirín. Bhí an saol go dona agus bhí saothrú ag teastáil go géar, agus ní gheobhfá an uair sin ach trí lá oibre sa tseachtain. Mura dtiocfadh daoine ag obair, chaillfidís an dole, *agus dá bhfaighidís a gcuid cártaí ón ngeaingear chaillfidís an* dole *freisin ar feadh sé mhí.*

Éistigí, a bhuachaillí, is tugaidh roinnt spáis dom
  Nó go réiteoidh mé an cás seo atá agam le scríobh,
Is go dtabharfaidh mé seanchas fada agus tráchtas
  Ar an gclampar a tharla taobh thiar den Sruthán Buí.

Leanfad na húdair chomh fada agus is léir dhom,
  Agus poibleoidh mé an scéal seo i láthair sean agus óg
Gur i mBaile na Feasóige a rinneadh an réabadh
  An lá ar chruinnigh le chéile na fir ar an mbóthar.

De réir cainte agus scéalta a fuair mise Dé Céadaoin,
  Bhí cuid acu éadmhar sul má thosaigh an gleo,
Ba mhór leo a chéile a bheith ag saothrú aon téagar,
  Is iad ag obair in éineacht ó mhaidin go nóin.

Bhí na criathraigh le triomú agus bóthar breá le déanamh ann,
  Loch Chearra le scaoileadh ar an bhfarraige mhór,
Ach nuair a thosaigh an cuspairt[1] bhí *gangmen* dhá smíochadh
  Nó gurbh éigin dhóibh glaoch ar dhá mhíle[2] ón Rinn Mhór.

[1] conspóid [2] dhá mhíle saighdiúr

Bhí barraí dhá bpléascadh is gróití dhá lúbadh ann;
Bhí *jumpers* ina smúdar ann caite ar an mbán;
Bhí an t-ord is an phiocóid dhá gcrochadh is dhá rúscadh ann;
Bhí an tsluasaid, an tlú ann, an láí, is an sleán.

Tháinig *detectives* ó íochtar na hÉireann
Nó go dtarraingeoidís réiteach ann, síocháin is páirt,
Ach a bhfuil d'arm san Eadáil, is bídís in éineacht,
Chaithfidís géilliúint don táilliúr is dhá chlann.

Nuair a chruinnigh na tréanfhir i bhfochair a chéile,
Chuir eagla na héanlaith ar ghéag is ar chrann;
Chuir eagla na hainmhithe ar chnoc is i ngleann sléibhe,
Is nár dheacair é a réiteach nuair a scaoileadh an sruthán.

Nuair a fuair siadsan gléasta in arm is in éadach,
Nach trua sin don chréatúr a chasfaí ina láthair;
Bhí claimhe is an bhéinit[1] is na lansaí ann géaraithe —
Fear misnigh gan bhréag nach dtréigfeadh an áit.

Bhí *thompsons*, bhí *mixers*, bhí *piostail*, is bhí *mausers*;
Bhí *pistols* is *revolvers* ann feistithe faoi réir;
Bhí *fieldguns* is *cannons* á láimsiú[2] go teann ann;
Bhí bratacha in airde ann chomh hard leis an spéir.

Bhí soithí dhá bhfailiú[3] ag Carraig an Mhatail,
Bhí púdar ann scaipthe agus é caite ar an trá;
Bhí *hand grenades* fairsing i bpóca gach gasúr,
Is iad ag déanamh ar an mbaile le meascadh san ár.

Bhí gach uile ghléas airm dhár rinneadh le fada
Dhá ullmhú is dhá tharraingt i bhfad roimh an lá;
Bhí trinsí dhá ngearradh ag na campaí faoin talamh,
Ach ag Tom Saile a bhí an *battery* ab fhearr.

[1] bheaignit [2] láimhsiú [3] bhfolmhú

An té a d'fheicfeadh na hoifigigh i gceannas an airm,
A gcuid beilteanna glasa agus iad daite go breá,
Bhí *companies, sections, regiments,* is *battalions*
Go sciobtha ag máirseáil thrí bhóthar an Locháin.

'S éard a dúirt Pádraig Learaí, a bhí ag caint liom Dé Sathairn,
Gurb eobh é an cath is aistí dhár tugadh ar trá,
Mar go raibh gunna ag tigh Chearra dhá fheistiú is dhá ghlanadh,
Agus go ndéanfadh sé marú amuigh i gContae an Chláir.

'S é ordú Chóil Phaddy — agus go mba buan é sa mbaile —
A d'fhág ciseáin gan easna agus an *boss* gan aon arán,
Ach nuair a tháinig Tom Chamais bhí *gangmen* ag glanadh,
Is ar Thulach an Leath Thoir ní chasfaidh go brách.

Tá *U-boats* ag faireadh taobh thiar de Cheann Cailí;
Má thagann aon soitheach strainséartha isteach as aon cheard
Beidh piléir dhá gcaitheamh léi chomh tréan le múr sneachta
Nó go bhfágfar gan rath í in aon roilleán amháin.

Bhí caint ar Napoleon an lá ar sheol sé go Moscow,
Is tá seanchas fada ar chath Eachroim sa stair,
Is ar an dúnmharú millteach a dearnadh ag Antwerp,
Nuair a d'fhága[1] na Gearmánaigh an chathair sin ar lár,

Ach ar tugadh de chatí[2] ar mhuir is ar thalamh,
Is a déanadh de chlampar ón t-am ar mhair Ádhamh,
Ní raibh iontub san faraor ach gníomh fear gan amharc,
Le ais mar atá tagtha i mbaile an Locháin.

'S é sladadh[3] Chluain Tairbh a d'fhág Lochlannaigh cloíte,
Agus gaiscígh ina mílte Dé hAoine gan ceann.
An cath ag Maighean Ratha a mhair seacht lá agus seacht n-oíche,
Is gur ann a thit Conall Claon agus an laoch Dónall Bán;

[1] d'fhág [2] chathanna [3] slad

Scriosadh an Traoi agus creachadh na hÉigipts —
Nach iomaí fear bríomhar a d'fhág siad ar lár —
Ach an té a d'fheicfeadh gach *siege* agus a mhairfeadh lena inseacht,
Is do ghníomhartha an tSrutháin Bhuí sea a bhéarfadh sé an barr.

Hercules iontach a loisceadh san ngríosach,
Is Heictear an laoch a d'fhág taoisigh ar lár,
Dhá mbeidís ansiúd nuair a thosaigh an smíochadh,
Chaithfidís claonadh dhá mbeidís níb fhearr.

Mac Móirne an tráth a mhair sé, Cúchulainn agus Naoise,
Is chúig mhíle den Chraobh Rua a bheith ag teacht lena sáil,
Nuair a crochadh na spílí is gach arm nuadhéanta,
Chaithfidís ritheacht thrí na cíocraí ón mbás.

Oscar Mac Oisín agus Clann Meiscinne fré chéile,
Agus neart Fiannú Éireann, agus bídís i láthair,
Tráth thosaigh an t-achrann, an clampar, is an réabadh,
Chaithfidís géilleadh agus éalú ón ár.

Nach mithid domsa feasta a bheith ag críochnú mo véarsaí;
Ní leanfaidh mé an scéal seo níos géire ná atá,
Ach go dtarraingní Dia réiteach ar bhóithre na hÉireann,
Níl agamsa ar aon chor ach an méid sin le rá.

AN GRÁINNEACH MÓR

Geaingear a bhí ins an nGráinneach Mór. B'as an taobh thoir de Ghaillimh é. Seo cur síos an Fhilí féin ar chúis an dáin:

'Bhí mise ag obair ar an mbóthar aige. Ní bhíodh againn an uair sin ach trí lá sa tseachtain. Bhí dhá lá déanta agam agus bhí an tráthnóna fíorfhuar. Is é an obair a bhí orm ag briseadh tearra a bhí ar an mbóthar le piocóid, ach pé ar bith cén chaint a bhí agam féin agus ag na fir eile a bhí in éineacht liom, thosaigh muid ag gáirí. D'fhógair sé orm féin. Nuair a fuair muid imithe é thosaigh muid ag gáirí aríst. Tháinig sé an dara huair. "Bhuel anois," a deir sé, "beidh tú 'fáil do chuid cártaí tráthnóna." Tráthnóna bhí mo chuid cártaí faighte agam agus chaith mé sé mhí gan dole *ar bith a fháil. Nuair a bhristí mar sin ar an mbóthar thú nó in áit a mbeifeá ag obair, ní gheobhfá aon* dole *aríst go ceann sé mhí. Bhí cosán dearg déanta agam isteach Gaillimh ag oifig an* dole, *agus gan mé á fháil, ach cuireadh suas liom ar aon chor dán a dhéanamh faoi. Dar fia, dúirt mé go ndéanfainn, agus go mbainfinn mo shásamh dó. Sin an fáth a ndearna mé an píosa filíochta ar a dtugtar 'An Gráinneach Mór'. Thosaigh mé go fánach air ach de réir mar a bhí mé ag dul isteach ann, bhí mé ag fáil pléisiúir ann nó gur chuir mé fiach ina dhiaidh. Nuair a dhéanann tú dán ar an gcaoi sin, ní féidir leat stopadh nuair atá tú leath bealaigh. Bhí chuile phíosa dó do mo chur chun cinn.'*

Ó fuair mise an t-údar, ní baol dhomsa cúlú,
  Ach leanfaidh mé an cúrsa go fearúil
Is scríobhfaidh mé uachta nach féidir a phlúchadh
  Ar aon teallach i ndú'[1] Chonamara.

Gangman de Ghráinneach, fear tútach, neamhnáireach,
  A bhuail fúm gan fáth is é as bealach,
Gan fógra, gan ábhar, is mé ag obair go sásta,
  'Sea fuair mise cárta uaidh[2] an mbacach.

Go deimhin, a Ghráinneach, dá ndéanfá an dea-rud,
  Is dá n-imreá[3] do chuid cártaí go cneasta,
Ní bheinnse mar námhad ar chnoc ná i ngleann a'd,
  Is ní bheifeá go brách faoi mo mhallacht.

[1] ndúiche [2] ó [3] n-imreofá

Ach bhí tú róbheartúil, rócham, is ródhána,
Is níor thuig tú mo chás ar aon bhealach,
Ach is gearr uait an lá go mbeidh tú ar lár,
Is tú maslaithe go brách ag mo theanga.

In Áth Cinn atá an bráca ag Tomás Ó Gráinne,
Is ní labhraíosa tráth leis ina ainm,
'S go mb'fhearr leis na comharsana múchta agus báite é
Ná é a fheiceáil go brách ar an mbaile.

Seo cuntas a fuair mé as an mbaile taobh thall dhó,
Ar a chliú is ar a cháil nach bhfuil taitniúch[1],
'S beidh sé le tuiscint 's le léamh ag a lán,
'S a chnámhanna leáite sa talamh.

Ní fhéadfadh an t-ádh a bheith 'dtigh Thomáis Uí Ghráinne,
A dúirt muintir na háite atá ina aice,
Mar tá sé róchiontaithe ag sagairt is ag bráthair
De bharr fealtúnas[2] gránna is drochscanall.

Ní dhéanfainnse aon iontas dhá dtitfeadh an láimh dhó,
Mar is minic í sáite sa mailís,
'S go bhfuadódh sí an bhráilín den chorp ar an gclár,
Ach gan duine a bheith i láthair lena bhacadh.

An bhó is an chaora, an searrach is an láir,
Má bhíonn siad ar fán uait ar maidin,
Gheobhaidh tú a dtuairisc, más féidir a bhfáil,
Faoi ghlas ins an stábla ag an mbacach.

An tsluasaid, an píce, an láí 's an sleán,
Ná fág ins an bpáirc ar do bheatha iad.
Smaoinigh ar an rógaire, Tomás Ó Gráinne,
A ghoidfeadh an t-ál is an lacha.

[1] taitneamhach

[2] faltanas

Smaoinigh ar an ógánach — 's é do dhrochnámhaid —
  Ná bíodh aon cheo fágtha ina bhealach,
Mar bíonn sé go síoraí ag creachadh na háite
  Is tú i do chodladh go sámh ar do leaba.

Éireoidh mé ar maidin in ainm an Ard-Rí,
  Beidh mo chú le mo shála 's mo chapall,
Nó go gcuirfidh mé fiach i ndiaidh Thomáis Uí Ghráinne
  Is fágfaidh mé fán is drochrath air.

Rachaidh mé ina thimpeall is déanfaidh mé fáinne;
  Beidh cúnamh fear láidir ins gach baile
Ón Spidéal go Carna, an Tuairín 's Doire Fhearta
  Go Scríb, Uachtar Ard, is Cnoc Raithnigh.

Dheamhan brocach ná áitiú dár chuir sionnach a cheann ann
  Nach gcaithfidh a bheith gardáilte fairthe.
Má fhaigheann sé a chuid crága go daingean in aon sáinne
  Ní foláir cúnamh láidir lena tharraingt.

Séidfidh mé an fheadóig go dúthrachtach, dána,
  Agus cloisfear go hard mé i gCeann Caillí.
Beidh mná agus páistí ag rince ar na bánta,
  Nó go ndéanfar an Gráinneach a leagan.

Baileoidh mé agam na sluaite as gach ceard,
  Is a gcéad míle fáilte ar an mbealach,
Ach, a mhuintir Dhúiche an Bhlácaigh, ná tréigigí an cás sin,
  Mar is cliú domsa go brách sibhse seasamh.

Fágfaidh mé an cás seo ar láimh Mhaidhc Ó Fátharta.
  Ag crosbhóthar an Mhám' bí ag faireadh air,
Nó má ligean tú an Gráinneach ar na sléibhte taobh thall dhuit,
  Ní thabharfaidh an saol brách de na beanna é.

Coinnigh Abhainn na Scríbe fairthe gach oíche
Sula bhfaighidh sé dídean ina haice;
Bíodh aireachas grinn agat thimpeall an Líonáin
Is ar na bóithre atá ag ritheacht go dtí an caladh.

Cuir *sentry* dúbailte ar bhóthar Chorr na Móna
Sula fhéadfas an stróinse a dul thairis,
Ach, in ainm Rí an Domhnaigh, ná lig i Sliabh an Úir é
Nó rachaidh sé amú i nGleann na bhFeadóg.

Déanfaidh mé ceannfort dhuit, a Phádraic Sheáin Pháidín,
Tá tú in eolas na háite le fada;
Tóigfidh tú stáisiún le taobh Loch an tSáile,
Is ar do dheasláimh, Baile an Teampaill.

Cuir arm fear garda ar seansiléar na Spáinneach,
Ná lig an boc báire faoin talamh,
Cúnamh maith láidir ó thuaidh i bPáirc na Rásaí,
Is ag ceann Bóthar na Trá, an t-arm capall.

Is cuirfidh mé geall leat, a Thomáis Uí Ghráinne,
Go mbeidh tú ar láimh roimhe[1] Shatharn,
Mar beidh tú chomh sáinnithe le cat thíos sa mála,
Is ní fheicfear go brách thú in do gheaingear.

Shiúl muid amach an cúigiú lá 'Mhárta,
Is bhuail muid go mall is go haireach,
'S gurb é an áit a dhúisigh muid Tomás Ó Gráinne
Ins na bantracha[2] bána thiar i gCamas.

Siúd soir thar an mbóthar é chomh luath leis an ngála,
Is chuaigh sé don gheábh sin Cinn Mhara,
Ach dhá bhfaighfeadh muid i Muiceanach idir Dhá Sháile é,
Tá mé cinnte nach bhfágfadh sé an baile.

[1] roimh [2] banracha

Bhí sé róchliste le titim san ngábh sin —
  Bhí eolas na háite aige cheana.
Ar Chnoc a Dua a tharraing sé, soir leis na fána,
  I meas scailpreacha arda agus sceacha.

Chaill muid sna lagphortaigh in aice tigh Eoin é
  Nó gur bhain sé dhó a bhróga ag Loch Fada.
Ag dul soir thar Tigh an Fháthartaigh ba luaithe faoi dhó é
  Ná stoirm gaoithe móire ins an earrach.

Ag dul amach ag an bPríosún le taobh Locha Móire,
  Bhí muide ins an tóir gar go maith dhó,
Ach ag éirí in aghaidh an strapa an Tulach an Óráin,
  Bhí an buachaill Jack Seoighe á ghreadadh.

Chuaigh sé sa ngleann agus chaith sé an torainn,
  Agus d'fhága[1] sé an Seoigach ina sheasamh.
Ag dul soir thar an abhainn ag tigh Phádraic Uí Mhóráin,
  Chaith sé dhó a chóta is a hata.

Lúb sé go talamh agus d'imigh sé caoch uainn,
  Soir Sliabh an Aonaigh le teannadh,
Ach ag ardú ó thuaidh dhó amach as an gcíocra,
  Cailleann sé a bhríste san easca.

Ó thuaidh trí na portaigh, is gan air ach a léine,
  Is ar Bhaile na Léime a bhí a tharraingt.
Deamhan múta ná claise nár chaith sé go héasca —
  Chúig slata déag ins gach amhóg.

Amach Bun na gCipeán a thug sé dhá shiúl é —
  Ní fhéadfadh an cú a dhul ina aice —
Ach dhá dtéadh sé go Cúige Uladh, gheobhadh mise greim cúil air,
  Ba in é an sórt rún a bhí agam.

[1] d'fhág

Bhí muid chomh tugtha i ndeireadh na cúise
'S nach raibh ionainn an cúrsa údaí a sheasamh.
Shuigh muid ar chnocán is a[1] gcnámhanna leonta,
Nó go rinne muid dea-chomhairle a ghlacadh.

Rinne muid campaí ag teacht don tráthnóna
Is d'fhan muid go ciúin leis an maidin.
Le ceiliúr na fuiseoige, bhíomar ina[2] ndúiseacht,
Mar a níodh Fionn Mac Cumhaill san tseanaimsir.

In aice le Formaoil, dúisíodh arís é —
B'iontach an smíste é gan aimhreas.
Nuair a d'éirigh sé againn, amach as na caochphoill,
Bhí an criathrach ina thimpeall ag preabadh.

Níor bhain muid aon chor as gur shroich sé Abhainn Bhéaláin,
Chaith sé de léim í ón talamh.
Níl caora ná feithideach dhá raibh ar na sléibhte,
Nach raibh ag rince is ag léimneach le scantradh[3]

Ba luaithe é ná an eilit, ná an giorria cíbe,
Ag dul síos ag tigh Phít Pheadair Bhreathnaigh,
Ach ag Clochar an Bhromaigh sea bhíomar ina thimpeall,
Pádraic Chearra ar a dhroim is é dhá lascadh.

Rug Pít ar an tsluasaid is Joe ar an láí;
Chroch Pádraic an cána uaidh an rata,
Is ba ghearr leis na Fianna iad ar lom chosa in airde
I ndiaidh Thomáis Uí Ghráinne is Mhac Chearra.

Síos ar tigh Finton sea a rinne sé láithreach —
Cé a chasfaí sa tsráid leis ach Beartla.
Isteach ar na duánaí buaileann sé an Gráinneach
'S chuir sé go básta é sa gclaise.

[1] ár [2] inár [3] scanradh

A mhuintir dhú'[1] Shailearna, siúd agaibh síos é,
Tá an bithiúnach ag déanamh ar an gcladach.
Ná ceapaidh ina[2] gcroí istigh go bhfaighidh sibh aon phríosún,
Ach cuiridh an diabhal caoch ar an Matal.

Bhí Pádraic Thaidhg Phádraic ar bharr Charraig Áine,
A phiostal in airde is a chlaimhe.
'S é dúirt sé go dána: 'A chlanna is a chairde,
Ná ligigí slán as na hAille é.'

Smaoinigh, a Mhac Eoinín, go gcaillfidh tú an cóta,
Má ligeann tú i dTóchar an Ghleanna é;
Má fhaigheann tú greim scóige air, tá mise is mo chóisir
Ag teacht ar an mbóthar lena lagadh.

Chuaigh sé den léim sin trí chladaigh chrua géara,
Trí chosáin chrua géara agus raithneach,
Is gur ag Bóithrín na Céibhe le éirí na gréine,
A d'fhága[3] sé a léine ar na sceacha.

Ní raibh 'fhios ag na céadta a bhí cruinnithe le chéile
Go raibh an t-ógánach céanna chomh beaite[4],
Ach nuair a facthas an téagar ina chraiceann geal gléigeal,
Bhí maltraid[5] an scéil sin le ceapadh.

Bhí slua de na *blazers* ag Ard Iothlainn Shéamais,
A gcuid conairt faoi réir 's a gcuid caiple,
Is bhí ardmheas uaidh[6] an *lady* le fáil ag an té sin
A ghabhfadh Tom Greaney ina chraiceann.

Scoith sé an Púirín is barr Shailethúna,
Thug dúshlán gach cú is gach capall,
Uachtar Bhothúna is thart Seanadh Mhóinín,
I measc driseacha úra agus aiteann.

[1] dhúiche [2] in bhur [3] d'fhág
[4] beathaithe [5] malairt [6] ó

Déanadh é a choradh thart timpeall na coille,
Is chloisfí i mBoluisce gach béic uaidh.
Dhá bhfeicfeása an buinneán ag dul thart ar na tuláin
Is Peadar Sheáin Stiofáin á phléatáil.

Anois tá sé leagtha ag Johnny Joe Mharcais,
Is bronnaim gach meas is gach céim air.
Ná déanaidh é a mharú, ach druidigí thart air,
Nó go gceanglór[1] le gad is le téad é.

'S é dúirt Íta Targin, sách tuirseach dhá haistir:
'Ná cuirigí bannaí ná cúirt air,
Ach fágaidh an bealach is scaoilidh isteach mé,
Nó go bhfaighidh mise slais ar an tóin air.'

D'fhreagair Jack Mac í agus labhair sé go tapa,
Agus rinne mé staidéar ar céard a dúirt sé.
É a cheangal ar bharra istigh i mála maith garbh;
É a thabhairt ag an Eas is é a phlúchadh.

A bhfeiceann tú an easna siúd thíos faoina mhaide,
Nárbh láidir an maicín é ina óige.
Ach d'éalaigh an saol thairis 's rinne sé bladar,
De bharr mhuiceoil bheaite[2] agus pórtair.

Anois cuiridh ina sheasamh é is crochaidh chun bealaigh é,
Is i bpríosún Chill Dara beidh a lósitín
Nó go ndéanfaidh sé aithrí ar son a[3] gcuid allais
A chuir muid ráithe an Earraigh sa tóir air.

Anois iontóidh mé tharam chun dea-chaint a chleachtadh,
Is déarfaidh muid paidir nó dhó dhó.
Tá an saol anois athraithe is tá an Filí bocht craite,
Ón lá ar thug sé an *sack* ar an mbóthar dhó.

[1] gceanglófar [2] beathaithe [3] bhur

Go dtabharfa[1] Dia sólás is suímreas[2] dhá anam,
I bParthas na n-Aingeal le glóire.
Is an fhad is sheasfas an teanga i measc Gaeil Chonamara,
Beidh trácht i ngach teaghlach faoin spóirt seo.

[1] dtuga

[2] suaimhneas

SPAILPÍN CHAMAIS

Fear a d'fhág Camas le dhul go dtí an Astráil agus déanann an Filí cur síos ar a thuras ó d'fhág sé Cuan na Gaillimhe gur shroich sé Darwin ins an Astráil. Ní raibh an Filí ach ag dul á chur cuid den bhealach ar dtús, ach nuair a fuair sé bainte amach é féin lean sé dó gur chríochnaigh sé faoi dheiradh san Astráil Is i bpáipéir nuaíochta agus i leabhra a fuair an Filí a chuid eolais ar áiteanna agus ar bhealaí maireachtála daoine ar an mbealach. Dúirt sé nach raibh aon tionchar ag an raidió air, agus ní raibh teilifís ann faoin am ar cumadh an dán seo, sin i ndeireadh na gcaogaidí.

Tá cruacha na hÉireann ag dul ó léargas ar m'amharc,
Is ní fheicfidh mé feasta a mbeanna níos mó.
Nach iomaí léig farraige a bheas idir mé agus Gaillimh,
An tráth bhuailfeas mé caladh san aistir seo romham?

Gluaisim go haigeanta thar chóstaí na Fraince;
Tá an aimsir an-gharbh 's an fearann go buan,
Ach sílim, a charaid, gur gearr uainn a maltraid[1]
Mar feicim an eala ag teacht chugainn ón gcuan.

Anois dearcaim tharam, tá an aimsir bhreá tagtha;
Tá an spéir gan aon scamall 's an fharraige ciúin.
Ar an taobh deas dom tá Afraice thartmhar;
Tá an long anois casta ar a bealach go Suez.

Dearcaim in airde ar an gcarraig taobh thall dhom,
Nó arb in í Cruach Phádraig os comhair mo dhá shúl?
Dár mír linn, a dheartháireacha, is iontach an áill[2] í.
'S gan toirt sliogán bairneach sna báid atá fúithi.

Chuala mé trácht air ó bhí mé i mo pháiste
Go seasann an áill[2] sin ag gardáil an chuain,
Gur píosa den Spáinn a thóig an boc Seán í.
'S go bhfuil sí ón t-am sin ina cineál brú fúithi.

[1] malairt [2] aill

Gluaisim go haigeanta thar thonnta an Mhuir Mheáin soir,
  Is thar chalafoirt álainn anseo agus ansiúd.
Amach liom go tapa le oileáinín Mhálta
  Is mé ag smaoineamh ar Árainn nach bhfeicfinn níos mó.

Feicim an talamh ag teacht chugam as gach aon taobh,
  Tá an long san am céanna ag lagadh san siúl.
Tá bratach dhá chrochadh nach bhfaca mé a léithide,
  Cibé cén chéibh a chuirfeas sí fúithi.

Níl le feiceáil ach deatach ar nós loscadh sléibhe
  As longa na gcéadta ar an ród amach romham,
Is cheapfá, gan aimhreas, dhá mbeidís le chéile,
  Go gcuirfidís droichead as seo go hÁth Luain.

Bhí séacla bocht tanaí de Iúdas ar thaobh liom,
  Is é ag dearcadh ar na daoine faoi síos ins an snámh.
Bhí meigeall mór fada as a smig agus í deas cíortha;
  Ba duibhe í ná an fiach a bhí thiar ar Shliabh Pháid.

Chuir mise ceist air cé raibh an Talamh Naofa?
  Le go n-úmhlóinn go críostúil ar urlár an bháid.
'S éard dúirt sé: 'Tóig t-am leat féin, inseoidh do bhlaoisc é;
  Beidh an ghrian ag brú aníos leat gach nóiméad ar ball.

D'fhág mé an bealach agus d'imigh mé síos uaidh,
  Agus chodail mé an oíche sin deas suímreach[1] go sámh.
D'éiríos ar maidin ag[2] bricfeasta caoireoil.
  A raibh blas uirthi ón taoille ar nós feamainn na trá.

Nuair a dhearc mise tharam sea chonaic mé an t-iontas
  Nach bhfágfaidh mo smaointe an fhaid is mhairfeas mé beo:
Bhí an long ar a bealach thrí chlaise chung dhíreach,
  Is ní truslóg mhaith a dhéanfadh an talamh gan stró.

[1] suaimhneach   [2] chuig

Bhí sluaite na mílte ar na bruacha gach taobh,
Óg agus aosta idir fir agus mná,
Barréadaí casta ar a gcloigeann thart timpeall,
'S bratacha síoda leob síos go dtí an tsáil.

Ní aithneá[1] na fir ná na mná thar a chéile ann,
Ná ní fheicfeá den *lady* ach barr a dhá súl.
B'fhearr liom go héasca a bheith ag dearcadh ar na droichid ann,
Tráth a bhí muid go réidh deas ag gabháil amach fúb.

Bhí bailte deas glana gan aimhreas le féachaint,
Siopaí breá gléasta agus gach uile shaghas nua,
Déantúisí a rinneadh ó aimsir Rí Féró,
Le feiceáil go haerach anseo agus ansiúd.

Páistí ag súgradh cois sráide le chéile,
Roimh scalladh na gréine ní raibh acu aon scáth,
Ach ag tiomáilt an liathróid deas éasca in aghaidh a chéile,
Gan suntas ag éinne acu dhá thabhairt do na báid.

Tháinig an bodach seo aníos le mo ghualainn,
Is é ag dearcadh go huaibhreach anonn is anall.
Bhí an barréad siúd casta ar a chloigeann go stuama
Agus an rapar mór uaithne leis síos go dtí an clár.

Fáinní ag sileadh go dlúth as a chluasa,
Slabhraí gan chuntas ag lonradh le ór,
Féasóig dhubh gharbh faoi mhailigh trom gruama —
Cineál na mbithiúnacha a chleacht Baltimore.

D'iontaigh sé thart nuair a sheas mé ar scuaid[2] air,
Is thug sé dhomh cuaifeach a chuir néall i mo cheann,
Ach dhá bhfaighinnse lá i gCamas é, chuirfinnse suas iad,
Is bheadh a fhios ag an mbuachaill cé againn ab fhearr.

[1] aithneofá [2] scóid

Ná bac leis an dragún, beidh mise ina phíosa,
'S buailfidh mé snaidhm air sula bhfágfaidh sé an bád.
Níor chleacht sé ag baile ariamh ach seantobar *diesel*
Atá ag cur a chuid píopaí amach sa Muir Mheáin.

Dhá bhfaighinnse sa mbaile i gceartlár mo dhaoine é,
Chuirfinn air bríste uaidh[1] an fíodóir Seán Bán;
Cheanglóinn den bhalla é nó go n-íocfadh sé pinghin mhaith,
'S d'fhuaróinn a chroí istigh le fíoruisce ón Mám.

Nach é a fuair an scalladh ón lá ar fhág sé an cliabhán;
Tá a mhuineál is a chliabhrach chomh buí leis an ór,
Ach cheapfainn má chuirtear go hifreann na bpian é
Go dtógfaidh sé an tsíoraíocht sula ndéanfar é a dhó.

Ach 's é an áit a chuirfinnse an giosadán riabhach,
Isteach go Siberia, thuas san North Pole.
Agus d'fhágfainn ansin é nó go n-iontódh sé liath ann,
Agus bheadh ola breá saor aríst ag Seán Mór.

Tá an bealach ag leathnú go deas de réir a chéile;
Tá longa ina gcéadta ag gabhail tharainn amach.
Nach álainn an radharc é le éirí na gréine —
Gaineamh ina réimse agus leacracha geal.

Ar[2] caiple iad na crutacháin a fheicim taobh thall dhom [5],
'S gan seamaide ag fás ann, ná an dosáinín glas,
Iad íseal 'un deiridh 's gan iontu ach na cnámha,
A gcuid súile leathbhásaithe agus iad caillte le tart?

'Ab eo í an Mhuir Dhearg?' a dúirt spleabhsachán[3] caol liom.
Dhúisigh mo chuid smaointe aniar ón Aird Mhóir —
Shantaigh mé éirí agus é a chur thar an gcíle —
An t-allas dho mo chaochadh agus an ghrian dho mo dhó.

[1] ó [2] An [3] breabhsaire

Síos an Mhuir Dhearg a ghluais muid go héasca,
Faoi áilleacht na spéire ar uair an mheáin oích',
An fharraige ag lonradh ar nós miliúnaí réalta,
Ciúnas dhá réir sin faoi éadan gealaí.

A Dhia gheal na cruinne, féach thart an breac mór sin;
Is faide faoi dhó é ná gleoiteog Tom Keane.
M'anam nár mhaith liom a bheith thíos ina gheorlúch[1] —
Nach é a bheadh go spóirtiúil 's a bholg le gréin?

In íochtar na loinge thíos tá mé 'mo phlúchadh,
Ag cábán an stiúradh tá mé dho mo dhó.
Is cosúil le coinneal mé i dtine mhór ghiúsaí —
Ní leagfaidh mé súil ar cheann cúrsa go deo.

Tá cailleach mhór utraithe romham síos ins an staighre,
Tá sé de cheird aici d'oíche agus de ló,
Mullach a cinn fúithi, má dhéanann sí arís té,
Nach bhfanann sí thíos nó thuas ag an seol.

Tá an talamh ag brú isteach aríst mar an gcéanna
'S gan scamall ins an spéir le mé a chumhdach ón teas,
Bolscóidí dearga amach i gclár m'éadain,
'S go n-ólfainn Loch Éirne dhá mbeadh sí le m'ais.

Tá baile beag sraimleach ansin ar an gcósta,
Tá an long ar an ród ag tarraingt air síos.
Rachainn i mbannaí nach bhfuil aon teach ósta ann,
Ná an oiread den deoir 's a d'fhliuchfadh do chroí.

'Aden!' an sinneán a tháinig uaidh[2] an gcúinne,
Poncán a dúirt na focla faoi dhó.
Fágfaidh muid acub é — is iad is mó a shiúlanns,
Saighdiúirí cliúmhar[3], má ghéilleann muid dhóibh.

[1] gheolbhach [2] ó [3] clúiteacha

Bhuail an long suas leis an dug go ciúin, réidh deas.
  Chruinnigh na héanlaithe ina gcéadta as gach ceard,
Cheapfá go múchfaidís solas na gréine,
  Agus iad ag tuirlingt le chéile ar gach téad ar an mbád.

Feicim isteach uaim na leipreacháin páistí,
  Nó cén fáth nach mbáitear gan spás iad sa gcuan,
Nó cén fáth nach loisceann an ghrian go dtí an cnáimh iad,
  'S gan duine ina n-airdeall agus iad ag lámhacán romhab?

Na máithreacha bochta, nach iad nach bhfuil náireach?
  Níl clúdach an lása ar a gcolainn ón ngrian,
Ní bhreathnaíonn siad sláintiúil, is ní níonn siad aon gháire;
  Cheapainn de réir nádúir nach bhfaigheann siad aon saol.

Na haithreacha suite ar shuíocháin crua adhmaid,
  Gan suntas gan aird ar aon ní atá ag gabháil thart,
A gcraiceann lom nochtaithe chomh dubh leis an áirne,
  A gcuid cloigne le fána agus iad scálta ag an teas.

Seo strainséaraí chugaibh 's ná tugaidh dhóibh suntas,
  Nach éadrom uathub siúl go deas ciún ar an gclár —
Roistíní caola agus súile leathdhúinte,
  Brístí deas cúnga agus casóga gearr.

Na héiníní deasa, nach álainn é a gcóta,
  Nach aoibhinn é a nglór, 's nach ceolmhar mar a bhíonns?
Tá siad chomh socair is go gcuirfeá i do phóca iad,
  Nó meas tú cén t-údar nach níonn siad aon chuibheas?

Mo theanga bocht spalptha — cheap siad gur péist í —
  Chuaigh siad ina héadan dhá tarraingt aníos,
'S ba gheall le slua fearaibh ag tarraingt an téid iad,
  Mar a d'fheicfeá lá pléisiúir i ngleann Ros a' Mhíl.

Tháinig banaltra thart agus labhair sí go fáillí,
  'S éard dúirt sí: 'Ná leag do dhá láimh ar na héin,
Mar tugann siad fiabhras isteach leo ón bhfásach;
  Ná bídís ag sáitheadh a ngob i do bhéal.'

Chreath mé le faitíos agus thug mé dhá shiúl é
   Ag toraíocht *Jeyes fluid* go dtí íochtar an tsoithigh.
Tráth d'iompaigh mé tharam agus mé nite glan sciúrtha,
   D'fhógair an *hooter* go raibh sé in am tae.

Tháinig an mhaidin agus le maidneachán lae ghil,
   Ní raibh talamh le féachaint ná éan ar an maidhm,
Ach an long ag treabhadh farraige ar nós a mbeadh céachta,
   'S ag giorrú gach léig uaidh na hIndiacha síos.

Ag déanamh mo dheacrán[1] le mairnéalach aosta,
   Nó go bhfaighinn amach cinnte cén taobh a bhí mé,
Bhí an ghrian dho mo dhalladh — is ó thuaidh dhom a bhí sí —
   Níor thuig mé go dtí sin cén chaoi a mbeadh an scéal.

'S éard dúirt sé: 'Bí foighdeach, caith thart do chuid smaointe,
   Ná bí chomh lag tinn sin den fharraige mhóir,
Mar níl tú i bhfad tagtha thar an meánlíne —
   Nach iomaí céad míle ort go Darwin go fóill?'

Thóig mise an chaint sin go daingean i mo chroí istigh.
   'S chuir sin mo smaointe go Cnoc Leitir Móir —
Gach comrádaí geanúil a chaith mé leo píosa —
   Nach fada anois síos mé uaidh[2] an siamsa is uaidh[2] an spóirt.

Tá an t-iasc ag teacht chugainn ón bhfarraige scallta,
   'S iad ag eitilt chomh hard leis na héanlaith sa spéir,
Nó measann tú an bhfuil sé ina lá dheireadh an tslánaithe,
   Nó ar léigh tú in aon pháipéar aon iontas mar é?

Tháinig an cluiche agus chaith sé gan stró muid,
   Ach buaileadh an breac mór seo faoin rópa a bhí trom.
Ba ghairid an t-achar go raibh mé ina gheorlúch,[3]
   Is é buailte faoin stól a'm ar urlár an long.

[1] ghearán   [2] ó   [3] gheolbhach

Seo chugainn ar ais ar an seanchosán céanna iad,
  Caithfidh siad go héasca de léim muid arís.
Bhí an fharraige geal leo ag rince is ag léimnigh,
  'S gan againn, mo léan géar, ach ag dearcadh fúinn síos.

Mo bhreac scuabtha 'un bealaigh ag súile leathdhúinte —
  Bhí mé róchúramach ag dearcadh ar an seó —
Ach an dtógfaidh tú m'fhocal go mbeidh siad níos dúinte
  Mar ní mórán is fiú mé má bhlaiseann sé dhó?

Ní aithním aon scodal amháin thar a chéile ann —
  Cheapfá gur in éineacht a rugadh an t-ál —
Ach is cuma cé acu a thug mo bhreac éisc uaim,
  Beidh a fhios ag gach aon neach an bhfuil sé in ann snámh.

Scaoiligí amach mé ag[1] an ranglachán bláthbhuí
  Le go mbuailfidh mé ceann air a bhrisfeas a dhroim.
Cuirfidh mé i bhfarraige é amach thar na ráillí,
  Nó go n-ólfaidh sé sáile agus an láib a bheas faoi.

Tháinig fear freastail an uair sin go dtí mé,
  Agus labhair sé go híseal, deas, soineanta, cóir.
'S éard dúirt sé; 'Bíodh ciall a'd; sin strainséaraí baolach,
  Gheobhaidh mé feoil lao dhuit is ná tarraing aon ghleo.'

Choinnigh mé an chois aige síos thríd an staighre,
  Gur líon sé go foighdeach dhom mug den leann fuar.
Chuaigh sé chun bladair agus chaill mise an taghd sin.
  Ba gairid gur éiríos agus go ndeachas chun suan.

Tá an long ina seasamh ina staic i mbéal bearna;
  Tá rud eicínt tárlaithe nach mbreathnaíonn an-deas
Inneal dhá dheasú nó píopaí dhá bhfáscadh,
  Nó meastú cén fáth sin nach gcorraíonn sí amach.

[1] chuig

Shiúl mise thart nó go bhfaca mé an máta,
'S d'fhiafraíos cén fáth a raibh an long ina stad?
'S éard dúirt sé go borb: 'Creath talún a tharla;
Tá farraigí arda ina[1] mbealach ó dheas.

Ag rapáil thrí bhrionglóidí a chaith mé an oíche sin —
Suas agus síos le tobar Mhamó.
Tráth luínnse ar mo bholg go n-ólainnse braon as,
Chrochadh an ghaoth mé síos go dtí an cró.

Tá scolóig ag greadadh ar na ráillí taobh thall dhom,
Pé ar bith cén náisiún a dtáinig sé as;
B'fhéidir gur éagóir a rinneadh sa mbád air,
Gur cheap sé san am sin nach bhfuair sé a dhóthain ceart.

Féasóg air 'nós Santy agus é dearg ina éadan,
A chuid gruaige go héasca chúig troighthe lena dhroim,
Sheas sé ar bharaille agus thosaigh sé ag préitseáil —
Níor chuala tú géimneach ná méileach mar í.

Druidigí isteach agus éistidh le Liútar;
Bígí deas múinte, tá an stróinse ag cur dhó.
'S go dtarraingeoinn-se an fheasóg anuas óna shrón dhó,
Dhá bhfaighinnse deas súgach é thiar sa nGleann Mór.

Is cosúil le gandal é a d'imeodh an ghé uaidh,
Ag síonaíl is ag scréachaíl, 's gan a fhios cén fáth,
Ag lúbadh is ag casadh is a mhuineál san aer thuas
'S gan a fhios ag aon neach céard atá sé a rá.

Tá a chuid gruaige ag fáil casta de réir mar atá cuthach air,
Nó meastú cén t-údar a rinne sí an fás?
Dá mbeadh sé lá i nGarmna ag Cisile Búrca,
D'oibreodh sí an túirne uirthi dhá cur ins an snáth.

[1] inár

Sílim go rachaidh mé tamall faoin éadach —
  Codlóidh mé néall agus giorróidh mé an t-am.
Tinneas na farraige agus fiabhras na n-éanlaith,
  Measaim ar aon chor nach bhfuilim an-mhaith.

Ar chábán an chaiptín a thug mise an ruathar siúd
  Agus labhair mé go stuama, deas múinte dá réir,
Agus ar seachrán na farraige a bheas m'áras cónaithe,
  I bhfad ó gach teorainn go deireadh mo lae.

Leag sé an peann thairis agus rinne sé gáire,
  Ag rá: 'Tá a fhios agam cén fáth le gur fada leat é;
Tá stoirm ó dheas romhainn agus farraigí arda,
  Ach i gceann cúpla lá beidh tú ag fágáil an tsoithigh.'

'Tá Oileán na Nollag ag gabháil thar do dheasghualainn;
  Nó an bhfeiceann tú an stuaic sin atá idir thú agus léas?
Tá fiántas Java is a choillte do-uaigneach,
  Ina luí ansin ó thuaidh dhuit, ach ní fheiceann tú é.'

D'umhlaíos don chaiptín agus ghlac mé leis buíochas,
  Agus chuaigh mé chun suímris[1] ag faire ar an lá,
Tráth a chuala mé an boinneán, mar a dúirt an fear críonna,
  'S maith a bhí a fhios ag mo chroí istigh go raibh mé ar fáil.

Ó, tá mé sa tír seo anois, rachaidh mé 'un tíobhais,
  Ach tabharfaidh mé cuairt ar an Scríb má bhím beo
Nó go n-ólfaidh mé sláinte i measc comharsana dílis,
  Agus ní fhuadóidh an ghaoth mé ó thobar Mhamó.

[1] suaimhneas

AMHRÁN AN CHAORA

Bhí imirt tigh Phádraic Mhac an Rí i gCaol Rua oíche. Caora a bhí ar imirt. Tháinig fear anoir as an bPáirc, Mícheál Ó Coisdealbha, nó, mar a thugtar go minic air, 'An Taoiseach'. Dhíol sé dhá chaora le Pádraic Mac an Rí. Chuir Pádraic ceann de na caoirigh ar imirt chártaí. An Filí, Máirtín an Bhreathnaigh as Scailp an Chait, agus Cóil Sheáinín Ó Tuathail as Leithrinn a ghnóthaigh an chaora. Tá an Filí ag tabhairt le fios sa dán go bhfuil an chaora i bhfad níos feosaí ná mar a hinsíodh dóibh í bheith sul má thosaigh an imirt.

Chruinnigh na fearaibh go fonnmhar
  Is tabharfaidh mé an cuntas cén fáth:
Bhí an Nollaig mhór caite go súgach,
  Is an sneachta ina mhótaí ins gach gleann.

Cé rachas ag imirt chúig chúig liom,
  Is a leagfas go stuama an mámh?
Tá mart ar an gclár seo le gnóthachtáil
  Uaidh[1] an gCoisdealbhach Rua as an bPáirc.

'S an áit ar shuigh muid an oíche sin,
  I dTigh Phádraic Mhac an Rí ag an droichead,
Is cuireadh romhainn fáilte agus míle ann
  Is ceapadh gach ní roimhe ré.

Ba gearr go raibh an ceiliúr thart timpeall
  Is fiafraíodh ar caora í nó éan,
Ach is cuma cé gcónaíonn an díthreabhadh,
  Is gearr go mbeidh gríscín dhá théamh.

D'fhreagair an stáidfhear go múinte,
  Is labhair sé go ciúin is go réidh,
'S éard a dúirt sé gur caora a ghrúigh[2] duais í,
  Le meáchan, le tiús, is le méid;

[1] Ó   [2] ghnóthaigh

Gur chaith sí seal fada ina chúram
  Ar thalamh a bhí plúchta ag an bhféar,
Is go raibh buachaillí ceaptha i gcaitheamh an fhómhair
  Dhá cumhdach i ngleanntáin Mhám Éan.

Is leagadh na boird lena chéile,
  Is cuireadh gach aon fhear ina shuí,
Is roinneadh na cártaí deas éasca,
  Is ceapadh an *game* ar chúig fichead.

Is ansin thosaigh an lascadh is an réabadh
  Nó nár airíodh é ag éalú an mheán oích',
Ach ó ruaigeadh Rí Séamas as Éirinn
  Níor facthas aon phléatáil mar í.

Leanadh den chath sin go maidin —
  Ag liúradh, ag lascadh, is ag gleo —
Is chloisfí gach uaill is gach agall
  Taobh thiar de Cheann Caillí gan stró.

Sa deireadh bhí cosc leis an achrann
  Is fógraíodh trí ainm sa roth.
Bhí sí grúite[1] ag an bhFilí is Cóil Saile
  Is an Breathnach as Scailp an Chait Mhóir.

Is chuathas ar a tóir lá arna mháireach,
  Is níor fágadh ag Máirt í ná ag Luan
Nó gur dúisíodh cois chladaigh sa nGleann í
  Is déanadh í a sháinniú le cuan.

'S chruinnigh na sluaite as gach ceard ann
  Nó gur daoradh chun báis í go luath;
Ansin tháinig an Breathnach is Cóil Sheáinín
  Is bhuail siad sa gceann í le tlú.

[1] gnóthaithe

Fuadaíodh chun bealaigh den trá í
Nó gur crochadh go hard í le téad
Is gur déanadh í a fheannadh is a láimhseáil
Imeasc fianaise láidir gan bhréag.

Ach nuair a bhí sí glanta agus meáite,
Chloisfeása an gáire ó gach meitheal,
Mar ní raibh fhios ag an dream a bhí láithreach
A mba pocaide bán í nó reithe.

Is casadh an Filí an bealach
Nó go bhfaigheadh sé a chuid chneasta den ghreim.
'S éard a dúirt sé: 'Tá an créatúr an-tanaí —
Níl spreáille[1] i bhfad ar a droim.

'Is a' dtugann sibh aon ní faoi deara?
Tá a cuid adharca imithe casta ag an aois,
Is nach n-insíonn a súile is a hafrac[2]
Gur chaith sí seal fada faoi dhraíocht?

Is leagadh go héasca ar an mbloc í
Nó gur géaraíodh na sceanna le *file,*
'S gur roinneadh a chuid féin ar gach fear dhe
Idir chraiceann is easna agus adhairc.

Ach níl rud ar bith a rinne mé a bhascadh
Ná chuir mise trasna ar an gclaí,
Ach nuair a ceapadh chúig phunt in aghaidh an acra
A d'ith sí ar Mhaidhc Phádraic Thaidhg.

Anois tá sí roinnte ina spóla
Is í imithe ina bpóca ag an triúr,
Cuirimse an cogar faoi dhó ort:
Cé ndeachaigh an mac mór a ghrúthaigh[3] an duais?

[1] sprúille [2] hamharc [3] ghnóthaigh

Tá sé ina cheiliúr is ina chomhrá —
Ina sheanchas mór i ngach clúid —
Go mbeidh sé ina shíorchath na Bóinne
Mura socróidh fear foghlamta an chúis.

Anois ólfaidh muid sláinte ar an gcaora
Is déanfaidh muid siamsa agus greann;
Go bhfága Dia a sláinte is a saol
Ag chuile líon tí dhá bhí ann.

Is arís nuair a thiocfas an geimhreadh,
Le cúnamh Mhac Naofa is a Mháthar,
Beidh muid ag imirt na gcaoirigh,
Is ólfaidh muid fíon agus leann.

CONTAE NA MÍ

Cuireadh brú ar Rialtas Fhianna Fáil i dtús na dtríochaidí gabháltais i lár tíre a thabhairt d'fheilméaraí as Conamara le go bhféadfaí na gabháltais a bheidís a fhágáil ina ndiaidh i gConamara a roinnt ar na feiliméaraí a bheadh fágtha. Is í an scéim seo a spreag an Filí leis an dán 'Contae na Mí' a chumadh. Foilsíodh an dán in Ar Aghaidh, *mí an Mheithimh 1936.*

Ar maidin Dé hAoine, sea chuala mé an caoineadh
  Is an gháir chrua ag daoine ag teacht chugam sa tslí,
Ag seanfhir is ag seanmhná a bhí ag fágáil na Gaeltacht'
  Le deireadh a gcuid laethanta a chaitheamh i gContae na Mí.

Chuaigh na gluaisteáin tharam, ocht gcinn i ndiaidh a chéile,
  Ar a dturas trí Éirinn, an lá earraigh ciúin;
Bhí gach comhluadar suite iontu i bhfochair a chéile,
  Mar bheidís ag léamh an bhealaigh a bhí romhab.

Bhí fir iont' as Garmna na bhfarraigí cáifeach,
  Is as an Trá Bháin in aice na gcuan,
Nach bhfaca riamh séarsach[1] ag gearradh na mbánta,
  Is nár chleacht ach an láí, ná a seansinsear romhab.

Nach orthu bheas an t-ionadh nuair a shroisfeas siad ceann cúrsa,
  Gan leachta in aon chúinne le feiceáil san áit,
Gan cloch ar an talamh, gan sceacha ach ar mhóta,
  Agus na páirceanna buana ann chomh lom leis an trá.

Feicfidh siad machairí sínte as a chéile ann,
  Agus acraí 'na gcéadta ag tabhairt féir agus barr;
Taltaí a sinsir a ruaigeadh iad fré chéile as,
  Mar b'éigin dóibh éalú ón léirscrios is ón ár.

Tá a gcuid tithe breá is iad déanta ann,
Is an fheilm ina dtimpeall, san áit a bheas dídean is siamsa acu ann,
Thairis ag bordáil ar fharraigí lá stoirm' is gaoithe,
Is ag treabhadh leis an saol is gan mórán dhá bharr.

Beidh fáilte ag an Laighnigh roimh mhuintir na Gaeilge,
Mar tuigeann gach éinne acu a mbealach is a gcás:
Gurb iad a ruaigeadh thar Sionainn a dearnadh an chéad lá,
Nuair a plandáileadh Saxons ón mBreatain anall.

Is molfaidh muid Éamon, fear seasta na tíre,
Is an dea-Ghael is iontaí dá bhfaca muid fós;
Shaorfadh sé Éire ó shlabhraí na daoirse
Ach lántoil na ndaoine a bheith leis ins gach gó.

Molfaidh muid suas é, ár dtaoiseach is ár gcaraid,
A throid is a sheas dúinn in aghaidh clampair is drochdhlí,
Is atá ag déanamh a dhíchill leis na dualanna a ghearradh
Agus muide a fhágáil dealaithe as eangach Sheáin Bhuí.

Is mithid dhúinn múscailt, tá an fheadóig dhá séideadh,
Is tá an cosán glan réitithe romhainn soir thríd an tír,
Nó go bhfágfaidh muid bantracha crua Chonamara,
Ag tabhairt driseacha is aitinn is crannaibh aríst.

[1] seisreach

AN BHEAN SÍ

Bhí sé á fheiceáil don fhile go raibh sé ag iascach ar an loch agus go dtáinig an bhean sí á mhealladh isteach sa mbruíon. Chonaic sé an cuaifeach ag teacht agus bhí an cuaifeach ag dul timpeall air agus bhí chéad véarsa an dáin le cloisteáil aige san aer.

An glór sa spéir:
Ó, brisim romham nó go bhfaighidh mé léargas
  Ar an áit a thréig mé leis na céadta bliain;
Ó, brisim romham go dtí spiorad an té sin
  Mar is san éiliú[1] air atá mo thriall.

Ní hé gan údar a scoth mé an torainn —
  Le cion is le mórghrá sea thóg mé roghain,
Is beidh mé ag tathú leis ó fuair mé an t-eolas
  Ar a bhriathra móra is a smaointí domhain.

Chonaic an file ansin í, agus thug sí faoi deara go raibh faitíos air.
Ó, ná bíodh ort eagla, crith ná náire,
  Mar níl do námhaid ina sheasamh i mbróig.
Is mé do charaid dheas a dtug mé grá dhó
  Is nach iomaí lá mé i do dhiaidh sa tóir.

Nach iomaí prionsa, iarla, is ardfhlaith
  A d'iarr mo láimhsa ach dhiúltaíos dhóibh
Mar bhí sé beirthe liom ó bhíos i mo pháiste
  Go mba thú a bhí i ndán dom ar bhruach Loch Mór.

Freagra an fhile:
Ó, a óigbhean álainn chiúin shocair shásta,
  Ní binne an clársach ná glór do bhéil;
Níl pabhsae i ngairdín ná bláth dhá bhfásann
  Nach mbainfeá an barr dó le breáichte[2] is scéim[3]

[1] éileamh [2] breathacht [3] scéimh

Aithris anois domsa cé dhár díobh thú,
  Nó an bhfuil aon ghaol agat leis an saol seo, a stór?
De réir mar a smaoiním go domhain i m'intinn
  As pláinéad iontach thú nár fritheadh go fóill.

D'fhreagair sí an file agus dúirt sí arís:
Is mise iníon Eagus Óg,
  A thóig an bóthar seo isteach sa mbruíon.
Bhí m'athair, dár ndóigh, ina dhraíodóir mór
  Ar bhruach na Bóinne seal den tsaol.

An tráth ar thug mé an t-eiteach sin d'ainm mórchliúch
  Mo láimh a thógáil go deo mar mhnaoi
Sea cheap mé an bealach seo fá bhláth na hóige
  Is go mairfinn beo deas ó aois go haois.

INIS FÁIL

Cur síos ar stair na hÉireann go dtí teacht na Críostaíochta atá déanta ag an bhFilí sa dán seo.

Má fhaighimse spás ar an saol seo,
Tabharfaidh mé cuntas cruinn daoibh ar Inis Fáil —
An chreach a déanadh, an tír a milleadh,
Na daoine a díbríodh agus na tithe á ndó.

Ní le aoibhneas atá an dán seo déanta
Ach le briseadh croí — céad faraor géar —
Is mór é m'aimhreas, a Oileáin Naofa,
Go mbeidh slabhraí na daoirse ort go lá breith' Dé.

Ón nGréig a tháinig muid in aimsir Ádhamha,
Is tabharfaidh mé trácht air anois go beacht:
De chlanna Míle sea dár dhíobh muid —
Na fir ródhéanta nár thréig an cath.

Tháinig siad anall ina longa bána,
A gcuid seolta in airde acu leis an ngaoth,
Go bhfaighidís radharc ar an oileán álainn
A bhí go huaibhreach i lár an tsaoil.

Bhí an tír seo an uair sin ar bheagán cónaí
Is í faoi choillte giúsaí, go tréan agus go dlúth;
Bhí an leon ann, bhí faolchoin mhóra ann,
Bhí toirc go leor ann, is an *kangaroo*.

Ní bhfuair muid sólás go dtáinig Pádraig,
A tháinig ón nGall ins an gcúigiú aois —
An t-easpag beannaithe an chreidimh láidir,
Ár ndóigh, beidh trácht air le linn na saol.

AN GAIRDÍN ÁLAINN

Cuirtear Éire i gcomparáid le gáirdín álainn agus téann an Filí siar go aimsir na Lochlannach agus aimsir na Normanach. Thosaigh muintir na tíre ag dul in aghaidh a chéile agus nuair a tháinig na Normanaigh isteach; bhí sé an-éasca acu an tír a chur faoi chois. Foilsíodh an dán seo in Tús an Phota, *1931.*

Bhí gairdín álainn seal faoin ngréin
A raibh toradh ar an gcrann is mil ar an bhféar;
  Bhí ceol an tsrutháin mar cheiliúr na n-éan,
  Is bhí a claí is a fál ina claimhe géar.

Bhí gadaí lá ag gabháil an tslí
Is chonaic an pháirc ar fheabhas a caoi —
  Gabhfad isteach i measc na dtom
  Is lomfad an crann seo is gaire dhom.

Ní túisce a shín sé isteach a lámha
Ná labhair an claimhe a bhí ar garda,
  Is bhain an ceann den ghadaí santach
  Lena dhrad nach raibh go mantach.

D'imigh an lá, bliain is trí ráith',
Is níor chuir aon ainmhí i gcoinne an bhláth.
  Is nár dheas an radharc é ar maidin bhreá
  Is an drúcht ina luí ar a chnoc is a ghleann.

Ach d'éirigh gaoth i lár na féile,
Is bhris na cranna géaga a chéile;
  Bhuail an crann iúir a cheann faoin gclaimhe
  Is thit an leon a bhí ag faire.

'S é an t-iúr a chaith an tsleá a bhí crua,
Nuair a leag sé an claimhe a bhéarfadh bua.
  Uaidh sin amach ba bheag é a chúnamh
  Mar tháinig air meirg nárbh féidir a sciúradh.

Chuaigh an scéal i bhfad i mbéal gach duine
Gur gearr a sheasfadh cliabh gan buinne;
'Gabhfad isteach ann,' arsa cách,
'Is beidh a sheilbh agam go lá lae an bhrách.

Ba ghearr ina dhiaidh gur tháinig an charóig
A bhain an t-iúr, an t-úll, is an daróig
Is chuir na cranna breátha ar lár,
Is chaith dhá dtrian díobh thar an sruthán.

D'imigh na fásanna leis an tuile
Is níl aon chuntas cár chónaigh a ndeireadh.
Bochtaíodh síos an gairdín saibhir,
Is níor fágadh foithnín air mar 'deirim.

Is má tóigeadh tusa in Inis Fáil,
Freagair mé mar luas an gháir,
Is aithris dom gan mhairg féin,
Cé hé an gairdín a bhí in ardréim?

OISÍN AGUS PÁDRAIC

Léigh an Filí scéalta agus dánta faoi na Fianna. Tá iarracht déanta sa dán seo laoi fiannaíochta a chumadh.

Go mbeannaíthear dhuitse, a ghaiscígh aosta,
A Mhic an Rí ba dheise cáil,
De scoth na bhfear nár chlis i gcruatan
Lena gcruachás ná neart a lámh.

A Oisín uasal ba bhinne briathra,
Ba thréine i gcath is ba chliste i *ngame*,
Aithris anois domsa, gan mhairg,
Cén chaoi a mhair tú i ndiaidh na bhFiann.

Inseodsa dhuitse, a Phádraic Naofa —
Is ní bheidh áibhéil déanta agam ná bréag —
Ón tráth a bhíos-sa im' óighfear chríonna
Nó gur thit mé le aois faoi do ghlúine féin.

Ba mé an mac ba sine ag Fionn,
Is in oighreacht cumhachta a tóigeadh mé —
I gcuideachta Éamainn agus Fhiachra
Agus Céadta Mac Conn a d'imigh i gcéin.

Phósas ainnir, cailín uasal,
Ab áille dreach dár dhearc do shúil,
Ach, mo chreach, chuir mé í fán bhfód
An tráth a d'fhág sí Oscar os mo chomhair.

Tráth chaill Cormac tréan a ríocht,
Thréig sé a sheilbh ar Theamhair na Mí.
Tháinig Cairbre ina dhiaidh sa gcoróin,
An mac 'thug treascairt sa gclampar dúinn.

Ní raibh againn ach Laighnigh agus clanna Mumhan,
Is dar mo bhriathar go mba deacair a gcúl.
  Chabhraigh na hUltaigh leis sa gcath
  Agus clanna Mí nár loic ón tsleá.

Chuaigh muintir Mhóirne faoi mo bhrat
Is le croí róbhródúil ghluais ó dheas.
Le breacadh an lae bhí an cath ar siúl
Ar ardáin Chairbre gan cosc gan cúl;
Gach laoch ar a dhícheall ag iarraidh an bhua
Is na mílte ag titim ar na bánta crua.

Chuir fuaim na scéithe, a bhí dhá bhreacadh,
Eagla ar na hainmhithe a bhí i bhfad ón gcreachadh,
  Is d'éalaigh na caoirigh de na sléibhte maola,
  Agus d'éalaigh na ba chun na coillte a dhéanamh.

Bhí Oscar tréanmhar i measc na bhfear
Is é ag caith' na dtaoiseach dá ghuaillí leathan
  Is ag fuabairt[1] an chaimhe[2] trí pháirc an áir
  Is ag cur triúr in íochtar le stiall amháin.

Chloisfeá láimh láidir ag fuagairt go dána,
  'S an ghrian san iarthar ina luí.
Cé a mbuailfidh mé an buille atá tarraingthe gan fuinneamh
  Nó an namhaid é seo ar m'aghaidh?

Tháinig donas ar Oscar faoi dheireadh thiar thall;
Thug an tArd-Rí a aghaidh siar sular chaitheamar an lá
  Is tréis aimsir fhada a chaitheamh ag gearradh a chuid feola,
  Thit Oscar, an claimhreach[3], a bhain asam deora.

[1] ag bagairt [2] claíomh [3] claimhteoir

Bhí an oíche ag bagairt orainn is a[1] gclaimhí gan faobhar —
Bhí a[1] bhformhór caite mín marbh lag sínte.
Ní raibh tada ag baint linn ach neart agus comhrac
Is fuair muid a[1] gceart dhó ar theacht an tráthnóna.

Chruinníomar timpeall ar Oscar dea-chroíúil,
'S ar thulán deas mín sea leag muid a cheann,
Mise is Mac Rónáin dhá chumhdach an oíche sin
Gur tháinig an tsnaidhm a chuir é chun báis.

Thóg muid áras a cholna an tseachtain dár gcionn
Is in ogham a scríobh muid a ainm san áill[2],
Ghoill muid go brónach é is ghuimh muid go dubhach
Gur thug muid a gcúrsa abhaile linn slán.

Chomh luath is 'bhíomar cneasaithe is ár ngearrthacha líonta
Is dhá dtrian dár gcuid laochra againn fágtha go fann,
Thóig muid an seilg ar bhruach Locha Léinn
Ag caitheamh na drochsmaointe sin amach as a[1] gceann.

Bhí an mhaidin chiúin sheodaí dhár dtreorú ón imní
Is an ghrian is í ag lonnradh ar an uisce mar ór.
Bhí ceol binn na n-éan ar na géaga dhá[3] misniú;
Bhí an eitilt dhá[3] mbrostú is ár ngadhair ar a tóir.

Níorbh fhada go bhfaca muid chugainn ón iarthar
Ag ardú na n-ardán is ag ísliú ins gach gleann,
Tráth a ndeachaigh níos gaire sea thug muid faoi deara,
An ainnir chaoin dhathúil ar dhroim capall bán.

Staonamar ón bhfiach nuair a chonaic an fhaoileann
Is as ceartlár na fírinne leanfad den scéal.
Má chailleas an óige níor chailleas an chuimhne
Sin é an fáth gur smaoiníos ar a cáilíochtaí a léamh.

[1] ár [2] aill [3] dár

Bhí a cuid gruaige donn daite ina dtraighsleánaí[1] óir
  Ag fuadach le cóir is le sinneáin an lae;
Bhí téadracha síoda 's an t-uaithne 'na dhlaoithe
  Ag titim léi síos is ag tabhairt lonnradh ón ngréin.

An dá shúil ba glaise ná an realtóg oích' sheaca
  Is í bronnta gan mairg thar mhná óga an tsaoil;
An dhá láimh ba ghile go mór mór ná an sneachta,
  Is ba dheise í ná an eala a bhí ag snámh ar Loch Léinn.

[1] dtrilseáin

AN tOILEÁN DRAÍOCHTA

Creideann daoine os cionn leath chéad bliain in áiteanna éagsúla i gConamara go mbídís ag feiceáil lóchrann idir iad féin agus Árainn Oíche Chinn an Dá Lá Dhéag. Deireann muintir Bhaile na mBroghach agus Chaoil Rua go mbíodh siad féin ag feiceáil na soilse seo ó thús na hoíche go dtí an trí a chlog ar maidin. Deireann daoine i gceantar na Tulaí go dtéidís féin síos le cladach le breathnú ar na soilse seo. Foilsíodh an dán seo in An Irisleabhar, Coláiste na hOllscoile, *Gaillimh 1935 — '36, leathanach 46.*

Oíche Chinn an Dhá Lá Dhéag,
Thar ar cruthaíodh d'oícheanta faoin spéir,
Sea nochtaítear oileán gléigeal
  Go hard i lár an chuain.
Píosa aniar ó Árainn
Sea fheictear é an tráth sin,
Is leathuair roimh an lá
  Sea íslíonn sé fán tonn.

An té a dhearc go grinn air
Is a chonaic é sa meán oíche é,
Nuair a chuir sé síos air,
  'S é 'n tsamhail a thug sé dhó
Ná lochrann soilseach príomh-chathair
A bheadh lasta suas le aoibhneas,
Nó solas geal ó réalta neamh
  Le glasrú[1] seaca móir.

Nach b'álainn is nach b'aoibhinn,
An radharc ins an meán oíche —
Na tonnta ar fad ina thimpeall
  Is iad cloíte síos le áthas.
An fharraige ina calm
Is an draíocht ina cheo dhá leagan
Ar thúr agus ar *mhansion*,
  Ar charraig is ar áill.[2]

[1] glasreo [2] aill

Na cúirteanna is iad déanta
Gan mairg uaidh[1] na saora,
Na caisleáin is iad líonta,
  Le soilse suas go barr.
Togha gach bia is gach dí ann
Dar leagadh ag aon rí ariamh,
Damhsa ag clann sí
  Is lánsiamsa ins gach bán.

Na baird ag seinm cheoil ann
Ar chláirsigh sreangaibh óir bhuí,
Na draoithe go ciúin ag comhrá
  Is ag cur síos ar thogha na laoch,
Na flatha ag ithe is ag ól ann
Is an claimhreach[2] amuigh ag foghlaim,
Is torthaí ann ina scórtha
  Ag tarraingt síos na gcraobh.

Arb iúd é tír na hóige
A bhí faoi theas an tsamhraidh i gcónaí,
Is ar fhan Oisín ann go bródúil
  I bhfad i ndiaidh na bhFiann?
Nó arbh amhlaidh a ghlac dobhrón
A chéile, Niamh Chinn Óir, ann
Is go bhfuil sí ag teacht ar chóstaí
  Le uaigneas ina dhiaidh?

Nó arbh iúd é tír an mbeo
A bhí gan pian gan bás gan dólás,
Nár facthas sneachta mór ann,
  Ná sioc ariamh san oích'?
Bhíodh an mhil ar uachtar beoir ann
Is gach éan dár dheise ag ceol ann
Is gach pabhsae b'áilne cóta
  Dár fhás trí thalamh aníos.

[1] ó   [2] claimhteoir

Nó arb iúd é tír na mbua
Is na ngaiscíoch crua nach ngéilleadh
Is nár loic ariamh uaidh[1] an té sin
  I gcath ná i ngairm ghlia,
Is nár briseadh ar a rannaí
An lá a chruinnídís le chéile
Is a mbíodh buaite ag sciath gach aon fhear
  Tráth a mbíodh an ghrian ag gabháil faoi?

Nó arb iúd é an t-oileán Maí Meall
Ar fuadaíodh Connla Tréan ann
Is nár fhill ar ais go hÉirinn
  Arís go deo ina dhiaidh;
Is nár chaith sluaite Teamhrach téarma
Dhá thóraíocht ins na réigiúin,
Is nár fhill i dteannta a chéile
  An lá a bhí deireadh leis an bhfiach?

Nó an ríocht í a thit i bpeaca
I bhfad roimh am na díleann
Is nár fhan Dia lá ná oíche
  Lena mheascadh isteach san ár,
Ach a ruaigeadh síos faoin teiscinn,
I bhfad ó ghrian is ó léargas,
Is nach n-éireoidh go Lá an tSléibhe
  Ar nóin nó maidin bhreá.

Ach nuair nach bhfuair mé fáirnéis
Go cé dár díobh an áit sin,
Nó cé an rí nó an t-ardfhlaith
  Atá i gceannas ins an tír,
Stopfaidh mé den áibhéil
Agus dúnfaidh mé na stártha;
Tá deireadh le mo ráite
  Anois faoin oileán draíocht.

[1] ó

AN tAMHRÁN BRÉAGACH

Bhí 'An t-Amhrán Bréagach' cloiste ag an bhFilí sular chum sé a amhrán bréagach féin. Foilsíodh 'An t-Amhrán Bréagach' in eagrán Dheireadh Fómhair/Samhain den Stoc *i 1924 agus is in* Tús an Phota 1931 *a foilsíodh dán an Fhilí.*

Chonaic mé, chonaic mé iontais mhór:
Bád mór i nead siogáin 's í ag imeacht le cóir;
Chonaic mé loingeas na Fraince ag snámh ar bharr Chnoic an Toirc,
Is m'anam gurb iad do bhí ag gearradh 's ag cur farraigí thart ansin!

Chonaic mé an mhaighdean mhara ina cailín aimsire i Ros Mhic
Treoin—
Is deas mar rinne sí freastal ar bhord an tí os mo chomhair;
Chonaic mé an seabhac is an eala ag cur fhataí i gContae an Chláir,
'S a gcéachtaí déanta go spreacúil d'oráistí buí as an Spáinn.

Chonaic mé an bradán ina léine is é ag siúl ar gha gréine lá breá,
Sin agus Sruth na Maoile agus é taosctha i gcanna trí cáirt;
Chonaic mé an chuach is an chéirseach ag méileach maidin Luain
Chásc'.
Is chaith mé cloch le mo mhéir leo agus bhaineas de Loch Measca a
ceann.

Nach deas a chodail Cúige Uladh faoi sciathán na heilite móir'
Agus thug na mionnaí ina diaidh sin go mb'fhearr léi seal ar an stól;
Anam na heascaine nimhe is é go síoraí faoi bhrón,
Is cé deir tú le Baile Chill Chainnigh a leagadh aréir leis an gceo.

Chonaic mé fear ins an ngealaigh lá earraigh 's é ag cur na líon,
Is d'iarr mé gráinne nó dhó air nó go gcuirfinn an domhan seo
faoi,
'S é dúirt sé: 'Bhrisfinn na geasa le cantal i ndiaidh an lín,'
Is mhúch sé solas na gealaí is d'éalaigh sé uaim ins an mbruíon.

Chonaic mé Néifinn ó thuaidh ina ghréasaí stuama bróg,
Cnoc Aille, Ceann Caillí, Ceann Léime ag féasta i dTír na nÓg;
Chonaic mé párlús Rí Sheoirse ina rógaire ag gabháil an tsráid,
An broc 's an sionnach 's an leon ag baint duilisc ar bharr Shliabh
Pháid.

Chaith mé seacht seachtainí déag i mo chónaí sa ngréin go buach,
Cloiseadh sa ngealaigh mo bhéic is an creathadh a bhí i mo mhéir le
fuacht,
Chuir mé scéala ag[1] na réalta ag aithris mo ghéibheann dóibh,
Is scaoil siad anuas as an spéir mé nó gur thiteas ar an bhféar i
mo dhrúcht.

I dtús an gheimhridh dob ea é, gach crann ag múscailt a bhláth,
Chonaic mé an bheach ag dul tharam 's a clóca anuas ar a bráid;
D'fhiafraigh mé di cérbh as í, is í ag siúlóid i measc na gcraobh,
'S éard dúirt sí: 'Éirigh is gabh abhaile, ins an bhfarraige a chónaím
féin.'

Tá oileáinín Reachra ar ancaire i gCathair na Róimh' —
Carraig an Mhatail an stiúrthóir atá dhá ghóil[2] —
Sléibhte Chill Mhantáin mar bhrat ar a crainnte seoil,
'S gur i bpáirc an chatha in Eachroim a cuireadh an long seo i gcóir.

Chuaigh Cill Ala lá Sathairn amach ar an gcuan ag snámh,
Bogha ceatha as Sliabh Cuileach 's é casta mar chrios fána lár.
Chonaic sé an t-arbhar á ghearradh faoi íochtar láib
'S mura mbrostneor[3] 'un a bhainte caillfear an Bhreatain gan arán.

Tá an t-Suca ina banríon ar Mhuimhneacha Luimní ó inné;
Tá sí ag cur mheala as na Cartúir go Neamh na néal,
Sneachta ar dhroim sléibhe — is m'anam gur bréag a rá —
Agus crann úll na ngéag nár facthas ariamh air bláth.

[1] chuig [2] ghabháil [3] mbrostófar

Ag seilge dhomsa lá fómhair faoi Loch Mhám Éan,
Dhúisigh mé múille gan carbad, súil, ná béal.
Ba luaithe sa siúl í ná an fháinleoig ag góil[1] an spéir,
Is gur mharaigh mo chú í tráthnóna, i dtús an lae.

Tá an crann dara[2] ina mhaith in aois a thrí bliana déag,
Is tá an gual ar an mbeatha is fearr dár chuir tú in do bhéal;
Tá cothú na dTorc ar an salann faoi ghaineamh na trá,
Is tá cothú na mbocht ar a scaipeas de dheatach ón gcrann.

Tá cothú na n-éanlaith ar shneachta 's ar shioc na hoích',
Is tá cotú an éisc ar a bhuaileas aduaidh den ghaoith.
Chonaic mé Caisleán an Bharraigh dá chasadh i dtúirne lín,
Agus sionnach Leac Aimhréidh go paiteanta agus é dhá shníomh.

I mbéal nathair nimhe 'sea chodail mé aréir go sámh —
Teanga na péiste an peiliúr a bhí faoi mo cheann.
Má tá an bás ar 'chaon taobh díot, níl contúirt ort féin ins an ngábh,
Is gan cúnamh ón bhfear éagtha ní féidir le loingis snámh.

Tá an roc 's an cat mara ag cur seagail i nGleann na Smól,
Tá cuasnóga meala go fairsing ar an teiscinn mhór,
Tá éadach catha Aongais i gCaiseal ag faireadh na mbó,
Is gur i muileann i nAontroim atá a theanga ag breacadh na mbró.

[1] gabháil [2] darach

AN FILÍ AGUS AN CEANNAÍ

Seo agallamh beirte a chum an Filí sna caogaidí idir an file agus fear siúil. Bhuaigh an iarracht seo an chéad duais ag an Scoil Éigse agus Seanchais i Ros Muc i 1957.

An File:
A sheanfhear throm gan lúd gan spreacadh,
A chara na déirce is a fhréim[1] gan bhrabach,
Ab amhlaidh a cruthaíodh do chrúib ar thalamh
Le í bheith sínte síos leat choíchin agus í falamh?

Nó arb é an chaoi ar cuireadh thú faoi gheasa
Tráth d'éirís suas ó bhís i do leanbh;
A bheith ag siúl na tíre seo ins gach bealach
Agus a bheith ag siúl an bhóthair le cóta salach?

An Ceannaí:
A dhuine gan múnadh, gan stuaim, gan éifeacht,
Nach trua mar dúrais is nach cam mar d'fhéachais,
Níor mhaith liom mo chás a bheith i do láimh le réiteach
Ná ar uair mo bháis tú a bheith i mo ghaobhar,

Ach éist go fóill nó go n-inseod scéal dhuit,
Mar is maith í mo chomhairle i ndeireadh mo laethanta;
B'fhéidir ar ball go mba slí leat déirce,
Mar is iomaí cor ins an aimsir chéanna.

An File:
Ó d'éiríos suas i measc mo ghaolta,
Níor thit mé i ngábh de bharr drochbhéasa,
Ach fíor le páiste, bean, agus céile,
Agus i láthair seanlánúin mar an gcéanna,

[1] fhréimh

Ach chítear dhomsa leis an méid seo
Gur chaith tú t'am le fán is le díth céille.
Dá n-iompóthá anall agus an mámh a thréiscint,
Shaothrá arán i bhfad níos réidhthe.

An Ceannaí:
Ba mhinice pingin i bpóca ceannaí
Ná i bpóca filí ar a lán bealaí,
Ag siofairt dánta agus greann ar theallaigh
Agus ag ithe na tíre lena theanga mallaithe.

Ar chuala tú ariamh trácht ar Faolán,
Nó ar Raiftearaí a mhair ina dhiaidh sin,
Nó ar an Suibhneach, fear déanta an ghéaraíocht?
Ba mhó ab fhiú mé ná an triúr in éineacht.

An File:
A scatháin na bpisreog is na leighis bhréige,
Is níor mhinic an t-ádh a bheith ar do leithéide.
Ba mhó ab fhiú a ndrár is a léine
Ná a raibh ariamh ins an mála ar do shliocht fré chéile.

An Ceannaí:
Smaoinigh ar Jób, an fear foighdeach ceart,
É stróctha, stiallta le plá agus le cairt;
Níor dhúirt sé: 'Is mór liom an phian is í lag',
Agus tá sé an tráth seo ina aingeal geal.

Céard is fiú muid anseo ach seal?
'S é deireadh ár só an fód is an scrath,
Sa teagasc Críostaí tá an comhrá glan:
Is beannaithe iad na boicht óir is leo ríocht neamh.

An File:
Nuair a chruthaigh Dia Ádhamh i bhfráma an duine,
Níor chaith sé i ngleann é leis an áit sin a chrinneadh,
Ach faoi thoradh crann ab fhearr agus ba mhilse.
'S é an éiric a ghlac sé gan a chuid aitheanta a bhriseadh.

Nuair a ghlaofar t'ainmse os comhair an Rí,
Agus smál ar t'anam uaidh[1] pheacaí an tsaoil,
'S éard a déarfas an tAthair go dána géar leat:
'D'fhaillís ins an gcolainn agus ins an anam in éineacht.

'Imigh as m'amharc agus ná bí i mo ghaobhar;
Níl glacadh feasta leat ins an ríocht seo,
Mar níor thug tú aire do mo chomhrá naofa,
Ná do na haitheanta a d'fhága mé ar an gcarraig scríofa.'

[1] ó